EL NIÑO Y SU MUNDO

EL NIÑO Y SU MUNDO

¿Mi hijo es autista?

Una guía para la detección precoz
y el tratamiento del autismo

Wendy L. Stone

con la colaboración de Theresa Foy DiGeronimo

Nota: Este libro debe interpretarse como un volumen de referencia. La información que contiene está pensada para ayudarte a tomar decisiones adecuadas respecto a la salud y bienestar de tu hijo. Ahora bien, si sospechas que el niño tiene algún problema médico, la autora y el editor te recomiendan que consultes a un profesional de la salud.

Título original: *Does my child have autism?*
Publicado en inglés por Jossey-Bass, A Wiley Imprint

Traducción de Joan Carles Guix

Diseño de cubierta: Valerio Viano

Distribución exclusiva:
Ediciones Paidós Ibérica, S.A.
Mariano Cubí 92 – 08021 Barcelona – España
Editorial Paidós, S.A.I.C.F.
Defensa 599 – 1065 Buenos Aires – Argentina
Editorial Paidós Mexicana, S.A.
Rubén Darío 118, col. Moderna – 03510 México D.F. – México

© 2006 exclusivo de todas las ediciones en lengua española:
Ediciones Oniro, S.A.
Muntaner 261, 3.º 2.ª – 08021 Barcelona – España
(oniro@edicionesoniro.com – www.edicionesoniro.com)

ISBN: 84-9754-245-2
Depósito legal: B-39.780-2006

Impreso en Hurope, S.L.
Lima, 3 bis – 08030 Barcelona

Impreso en España – *Printed in Spain*

Este libro está dedicado a la memoria de mis padres,
Shirley Katz Stone y Leonard Stone,
cuya pasión por aprender y cuya capacidad de amar
me permitieron seguir las estrellas y encontrar mi camino.

W. L. S.

ÍNDICE

INTRODUCCIÓN

Éste es un libro para padres, y en especial para los que están preocupados y desconcertados, aquellos que viven obsesionados con la clásica pregunta que no les permite ni tan siquiera conciliar el sueño: «¿Tiene autismo mi hijo?». Para padres que creen que podría existir una mínima posibilidad de que su hijo no estuviera desarrollándose como debería. También está dirigido a los padres que aprecian signos distintivos de retraso pero que no están seguros de que estén relacionados necesariamente con el autismo. E igualmente a aquellos que han leído acerca de los trastornos de espectro autista, han observado a su hijo y han llegado a la conclusión de que es muy probable que su hijo sea autista. En cualquier etapa en la que puedas estar en este proceso de descubrimiento, he escrito este libro teniendo muy en cuenta cómo te sientes. Para ello he trabajado con muchos padres como tú.

He dedicado los últimos veinticinco años de mi vida a los niños con autismo y a sus padres a través de mi trabajo clínico y de investigación. Soy psicóloga infantil y científica, pero también soy madre y conozco la profunda inquietud derivada de la mera idea de que algo pueda marchar mal en tu hijo. Y sé lo duro que es para ti hacer preguntas cuando en realidad no quieres oír las respuestas, de manera que admiro sobremanera tu predisposición a hacer lo mejor para tu hijo independientemente de lo difícil que te resulte.

La finalidad de este libro es ofrecerte información clara, actualizada y verificada científicamente. Los capítulos están organizados a partir de la secuencia de eventos que con toda probabilidad vas a seguir a medida que vayas avanzando en tu búsqueda para comprender mejor el comportamiento de tu hijo. El libro se inicia con una visión general de los trastornos de espectro autista que te permitirá conocer cómo define estos trastornos la comunidad médica y cuáles son sus diferencias. El capítulo 2 explica comportamientos muy específicos comúnmente asociados a niños con autismo que podría presentar tu hijo. El capítulo 3 te guía paso a paso en el proceso de diagnóstico de tu hijo autista para que comprendas lo que debes esperar durante el mismo, y también de ti y de tu hijo. En el capítulo 4 aprenderás por qué es tan importante una intervención temprana en estos casos y los diferentes tipos de intervenciones disponibles. En el capítulo 5 encontrarás algunos consejos, actividades y herramientas de aprendizaje que puedes utilizar en casa para mejorar las habilidades sociales, de comunicación y de juego del niño.

Aunque comprendo que tu mente y tu corazón pueden verse abrumados por los signos y síntomas del autismo durante tan incierto período, es esencial no perder nunca de vista un hecho indiscutible: que los niños son niños con o sin un diagnóstico de autismo. El diagnóstico te ofrece a ti y a los profesionales de asistencia sanitaria y la educación la información necesaria para que el niño alcance su pleno potencial, pero no cambia su forma de ser. Espero que este libro te facilite los datos que necesitas saber para conocer mejor a tu hijo y poder disfrutar y aprender con él, y valorar la felicidad y la magia incomparables que proporciona a tu familia.

Agradecimientos

Quiero manifestar mi más profunda gratitud a las innumerables familias con las que he interactuado y de las que he aprendido una infinidad de cosas, y es mi deseo compartir todas sus historias para ser capaz de ayudar a otras que se encuentren en una situación similar.

También doy las gracias a las contribuciones de muchas personas que me han ayudado a formular y desarrollar las ideas contenidas en este libro. En el transcurso de los años han sido numerosos los maestros, supervisores, colegas, estudiantes graduados y clínicos

TRIAD que han compartido sus experiencias y puntos de vista conmigo. Les agradezco las oportunidades que me han dado de intercambiar ideas y crecer juntos en nuestro conocimiento y comprensión del autismo.

No puedo expresar con palabras el aprecio que siento por mi marido y mi hijo por su inagotable paciencia durante mi literal desaparición en el ordenador para escribir este libro. Su espíritu tolerante ha sido una fuente de inspiración y de apoyo, y confío que sepan cuán a menudo me maravilla la inmensa suerte que tengo de poder compartir mi vida con ellos.

Por último me gustaría dar las gracias a mi editor, Alan Rinzler, sin cuya visión no habría podido escribir este libro, y cuyo ánimo y entusiasmo forjaron una auténtica relación de colaboración.

Wendy L. Stone
Nashville, Tennessee

CAPÍTULO 1

¿Qué son los trastornos de espectro autista?

¿Qué está pasando? ¿Por qué el término «autismo», prácticamente inédito en la generación de tus padres, se oye ahora en todas partes? Parece como si todas las familias estén inevitablemente preocupadas o de algún modo relacionadas con el autismo hoy en día. En el pasado año, el autismo fue objeto de 116 artículos periodísticos en el *New York Times*. Haz una búsqueda en Google y descubrirás más de cinco millones de entradas, y Amazon.com ofrece 1.076 libros sobre este tema. A la vista de esta sobrecarga, no es de extrañar que puedas sentirte un poco asustado si llamas a tu hijo por su nombre y tarda un poco en responder.

Aun así, a pesar de la publicidad que ha rodeado este trastorno en los últimos años, pocas personas saben qué es realmente el autismo. Y dado que un escaso conocimiento puede resultar muy peligroso, el término se ha malinterpretado y mal utilizado, asociándolo a una maraña de trastornos con síntomas a menudo solapados. Y habida cuenta de que los síntomas del autismo propiamente dicho pueden estar presentes en diferentes combinaciones y en diferentes niveles de gravedad, la cuestión de si tu hijo tiene o no autismo, o de si su comportamiento se ajusta a la gama de posibles síntomas autistas, la confusión es cada vez mayor.

Lo cierto es que el autismo es uno de los tipos de trastorno del desarrollo en el ámbito de una gama más amplia que los especialistas llaman Trastornos de Espectro Autista (TAE), entre los que se incluyen el trastorno autista, el síndrome de Asperger, el síndrome de Rett, el trastorno infantil de desintegración y el trastorno extendido del desarrollo no especificado (TEDNE). Los niños con una sintomatología clásica de trastorno de espectro autista muestran desequilibrios en diferentes áreas del desarrollo, entre las que figuran una dificultad en las interacciones sociales, desarrollo anómalo del lenguaje y actividades y comportamientos repetitivos. Estos síntomas se solapan no sólo entre un trastorno de espectro autista y otro, sino también entre un trastorno de espectro autista y otros trastornos no autistas del desarrollo tales como la demora lingüística o el retraso global del desarrollo. Ésta es la razón por la que a menudo es difícil para los profesionales de asistencia sanitaria* diagnosticar rápidamente el autismo y por qué resulta tan frustrante para los padres que creen estar identificando síntomas que podrían ser la manifestación de un problema y no consiguen una respuesta rápida y clara del especialista.

Con otras enfermedades infantiles estamos acostumbrados a síntomas convencionales y a un rápido diagnóstico. ¿El niño llora, tiene un poco de fiebre y se toca la oreja? Un examen médico es probable que muestre signos de una infección ótica (*otitis media*) que se trata con antibióticos durante diez días. Síntomas, signos, diagnóstico y tratamiento: proceso concluido. Pero luego está la larga sintomatología que la televisión, los medios escritos, la familia y los amigos consideran como propia del autismo, y de repente te encuentras con que nadie es capaz de dar una respuesta rápida y definitiva a tus preguntas. La situación es ambigua, difícil de definir, alarmante.

CÓMO TE PUEDE AYUDAR ESTE LIBRO

Comprendo tu angustia y confusión. Soy madre. Pero también soy psicóloga y he trabajado con cientos de familias con niños que sufren Trastornos de Espectro Autista. He consagrado mi vida a recopilar

---

* El término «profesionales de asistencia sanitaria» se refiere a los profesionales que diagnostican y tratan los trastornos de salud física o mental. El diagnóstico del autismo suele ser competencia de los psicólogos clínicos, psiquiatras y pediatras especializados en el desarrollo infantil.

la información que te ayudará a caminar a través del argot, las complejidades y la frustración que provoca el autismo.

Sé que no estarías leyendo este libro de no estar ya preocupado por el desarrollo de tu hijo, de manera que lo he escrito dirigiéndome directamente a ti. Te imagino sentado en mi consulta con una expresión inconfundible en tus ojos mientras preguntas: «¿Tiene autismo mi hijo?», y comprendo que desearías una respuesta rápida y precisa de «sí» o «no». Después de todo, eres consciente de que disponer cuanto antes de un diagnóstico en firme juega a favor del niño, y eso explica el sentido de urgencia que percibo en tu voz.

Si realmente estuvieras aquí sentado conmigo, sería la primera en coincidir en que una detección e intervención precoces son muy importantes para tu hijo. Pero antes de poder responder a tu pregunta, deberíamos reunir los datos y luego encajarlos cuidadosamente. Pues bien, esto es exactamente lo que haremos en los capítulos de este libro.

En este primer capítulo analizaremos los signos y síntomas de los Trastornos de Espectro Autista. Antes de pasar a los capítulos siguientes, lee detenidamente esta información y sigue este consejo: no saques conclusiones precipitadas si detectas algunos de los síntomas en tu hijo. Muchos niños, por ejemplo, no hablan las esperadas cincuenta palabras a la edad de dos años, pero no por ello son autistas. Espera a haber recopilado todos los datos antes de volverte loco de preocupación.

Demos un paso más en esta exploración del autismo. En este primer capítulo tómate el tiempo necesario para comprender mejor los Trastornos de Espectro Autista en general. Constituye el fundamento indispensable antes de poder observar y evaluar al niño usando las directrices del capítulo 2. Luego, con la lista de comprobación, puedes compartir tus preocupaciones y observaciones con el pediatra.

Si el pediatra decide que es necesario realizar una observación más prolongada, puedes consultar en el capítulo 3 las directrices acerca de lo que debes esperar durante este proceso. Y si es necesario, en los capítulos 4 y 5 encontrarás todo lo relacionado con las intervenciones y la educación. Ten paciencia; saltando capítulos o pasando directamente a las conclusiones no te proporcionará la información que precisas para ayudar a tu hijo.

01/10 En cifras

El número de niños diagnosticados de autismo ha experimentado un extraordinario incremento en la última década en Estados Unidos, convirtiéndose en el trastorno del desarrollo de crecimiento más rápido en aquel país. En realidad, los Centros de Control y Prevención de Enfermedades han concluido que el autismo afecta a 1 de cada 250 nacimientos, y que este diagnóstico está aumentando en un 10-17 % cada año. A este ritmo, la Sociedad Americana de Autismo estima que este trastorno podría afectar a cuatro millones de norteamericanos en la siguiente década.[1] Los motivos de este incremento son complejos, incluyendo un mejor reconocimiento, diagnóstico precoz y criterios de diagnóstico más inclusivos.

EL MITO Y LA REALIDAD

Probablemente habrás oído en los medios de comunicación o en charlas con otros padres que los niños con autismo viven en su propio mundo, no responden a su entorno y realizan movimientos repetitivos y extraños tales como balancearse o aletear con los brazos. No siempre es así. Los noticiarios televisivos y algunos programas monográficos casi siempre muestran los casos más graves, es decir, los que satisfacen mejor los objetivos de una «buena» programación.

Pude comprobarlo personalmente cuando un equipo de una cadena de televisión vino a grabar un programa sobre niños autistas en la clínica TRIAD en el Vanderbilt Kennedy Center y el Hospital Infantil Vanderbilt en Nashville, Tennessee. Los niños se comportaron debidamente a pesar de la presencia de muchos adultos en la sala y de un montón de aparatos para el rodaje, incluyendo el calor sofocante de la iluminación para las cámaras. Me satisfizo poder mostrar a los televidentes imágenes de niños con autismo que jugaban con juguetes o estaban sentados en una mesa realizando actividades en lugar de pasar el tiempo realizando sonidos raros o acciones repetitivas. Pero el productor del programa no se sentía tan feliz, insistiendo en que los cámaras consiguieran grabar a niños en las actitudes más inusuales, instruyéndolos para que se centraran exclusivamente en los que mostraban los síntomas más extremos, no en la mayoría de los niños que permanecían tranquilos y con comportamiento típico. Evidentemente, algunos miembros de los medios informativos no están dispuestos a perder el tiempo con niños autistas de características «normales».

Esta necesidad de hacer un especial hincapié en la cara sensacionalista de una historia perpetúa uno de los mitos que rodean el miedo al autismo: que estos niños «no funcionan». Esto no es verdad. Los niños autistas pueden variar espectacularmente de uno a otro en la forma de mostrar los síntomas de este trastorno, y de ahí términos tan vagos como «parece autista», «tendencias autistas» y «autismo de alto funcionamiento» o «autismo de bajo funcionamiento» se usen con frecuencia para diferenciar los síntomas de un niño de los de otros.

En realidad, si tuvieras la oportunidad de observar una sala de niños con autismo, verías a algunos hablando y a otros recurriendo a dibujos o al lenguaje de signos para comunicarse. Algunos estarían trabajando en una mesa; otros corriendo o trepando a las sillas y las mesas. Algunos podrían estar riendo a carcajadas jugando a las «cosquillitas» con papá o mamá y otros con una rabieta y arrojando juguetes. A la vista de un grupo tan diverso como éste, podrías preguntarte: «¿Cuáles tienen autismo?». La respuesta es muy simple: todos.

LOS DIFERENTES TRASTORNOS DE ESPECTRO AUTISTA

La descripción de niños con autismo es confusa porque unas veces se utilizan términos diferentes para referirse a la misma cosa, y otras, el mismo término para designar cosas diferentes. El *Diagnostic and Statistical Manual of Mental Disorders (Manual diagnóstico y estadístico de los trastornos mentales)*, 4ª edición *(DSM-IV)*, es el libro que utilizan los profesionales de asistencia sanitaria para describir las características necesarias para el diagnóstico de trastornos específicos

♡ HABLAN LOS PADRES
¿Qué «aspecto» tiene el autismo?

- Mi hijo es un niño maravilloso. Mirándolo, dirías que es perfectamente normal. El autismo no es siempre algo que se puede apreciar a simple vista, de manera que cuando empieza a interactuar en público, la gente actúa como si fuera un estorbo indisciplinado y a mí me tratan como a una mala madre. (Madre de un niño de tres años.)

- La mayoría de las personas no saben cuán amplio es el espectro autista, creyendo erróneamente que este trastorno es mucho más grave de lo que realmente es (piensan inmediatamente en *Rain Man*) y sospechando a menudo que somos unos padres hipocondríacos en relación con la alta funcionalidad de nuestro hijo. A mi hermana casi le da un colapso cuando le hablé del diagnóstico del niño. Supongo que creería que estaría condenado a pasar encerrado en una institución para enfermos mentales el resto de su vida. (Madre de un niño de cinco años diagnosticado de autismo a los dos.)

- Los personales autistas en el cine y la televisión suelen mostrar el «reverso tenebroso» del trastorno. Sé perfectamente que sólo interesan los problemas, pero lo cierto es que mi hijo no es un buen arquetipo de un autismo asociado a un grave retraso o un comportamiento raro o estrafalario. Por otro lado, contribuye a impedir que los padres de niños recién diagnosticados puedan superar su sentido de la negación. (Madre de un niño de cinco años.)

de salud, comportamiento y desarrollo. El *DSM-IV* ha acuñado el término «Trastornos Extendidos del Desarrollo» (TED), que incluye el autismo y otros cuatro desórdenes asociados que comparten signos y síntomas. Dicho de otro modo, «Trastornos de Espectro Autista» y «Trastornos Extendidos del Desarrollo» se usan a menudo para definir lo mismo.

Ambos términos se refieren a una clase de trastornos que incluye déficits sociales, desequilibrios en la comunicación y realización de actividades restrictivas y repetitivas como características primarias. **En este libro utilizaré el término «Trastornos de Espectro Autista» (TEA) para referirme al autismo y los trastornos asociados que comparten las mismas características fundamentales, y el término «Trastornos Extendidos del Desarrollo» (TED) sólo para describir categorías o criterios diagnósticos específicos en el *DSM-IV*.**

Los cinco trastornos clasificados como Trastornos Extendidos del Desarrollo en el *DSM-IV* son: 1) Trastorno autista, 2) Síndrome de Asperger, 3) Síndrome de Rett, 4) Trastorno infantil de desintegración (TID) y 5) Trastorno extendido del desarrollo no especificado (TEDNE). Estos desórdenes difieren entre sí en rasgos entre los que se incluyen su prevalencia, gravedad y forma de aparición y progreso de los síntomas.

Cuando empieces a explorar el autismo, es importante que dediques algún tiempo a familiarizarte con cada uno de los cinco Trastornos Extendidos del Desarrollo. Examinémoslos brevemente.

Trastorno autista

«Trastorno autista» es el término formal que designa lo que más comúnmente se conoce como «autismo». Este trastorno se caracteriza por una pauta de desequilibrios graves en tres áreas: 1) dificultades en la interacción con los demás de manera recíproca, 2) habilidades lingüísticas y de comunicación desequilibradas y 3) una gama limitada y repetitiva de intereses y actividades. (Véase Apéndice A: Criterios de diagnóstico para el trastorno autista.) Estos síntomas aparecen antes de los tres años, aunque pueden cambiar con el tiempo y variar considerablemente de un niño a otro. (Analizaremos cada síntoma en mayor profundidad más adelante en este capítulo.) Por razones que los especialistas aún no han conseguido explicar, los niños son más propensos que las niñas a un diagnóstico de trastorno autista en una proporción de 4 a 1.

Síndrome de Asperger

El nombre «Asperger» deriva de Hans Asperger, médico austríaco que describió por primera vez este trastorno en 1944. Este TED se refiere a niños, casi siempre varones en una proporción de 5 a 1, de inteligencia media y sin historial de retraso en el desarrollo del lenguaje, aunque muestran desequilibrios sociales e intereses limitados y repetitivos. La interacción social es conflictiva y unilateral, y con frecuencia tienen dificultades de comprensión de la perspectiva ajena. Pueden hablar sin cesar de un mismo objeto o tema que los fascina, sin comprender el significado de una conversación de ida y vuelta o el arte de escuchar.

Este diagnóstico sólo se usa cuando los desequilibrios son severos, mantenidos en el tiempo e interfieren en el funcionamiento del niño en el hogar, la escuela o la comunidad. Muchas veces los síntomas del síndrome de Asperger no se evidencian hasta el inicio de la escolaridad. De ahí que el diagnóstico casi siempre se realice a partir de los tres años.

Síndrome de Rett

Debe su nombre a Andreas Rett, médico austríaco que describió este trastorno en un artículo periodístico en 1966. El síndrome de Rett es muy inusual, afectando casi exclusivamente a las niñas. Quienes lo sufren se desarrollan con normalidad y según lo previsto en la primera infancia, pero luego, entre los seis y ocho meses, empiezan a mostrar una pérdida de habilidades en diferentes áreas de funcionamiento. Los niños que ya hablaban, dejan de hacerlo; su habilidad para interactuar con otros se reduce; pierden el uso de las manos para sujetar y manipular objetos, y empiezan a evidenciarse movimientos repetitivos con las manos, tales como frotárselas o dar palmadas. Durante esta fase de su regresión, muestran síntomas similares a los descritos en el trastorno autista.

La sintomatología del síndrome de Rett es progresiva y empeora con el tiempo. Este trastorno es el único TED que tiene una causa genética identificada, concretamente una anormalidad de un gen en el cromosoma X.

Trastorno infantil de desintegración (TID)

El TID es una condición muy rara que implica una notable regresión en las habilidades de los niños que han experimentado un desarrollo típico en los dos primeros años de vida. Esta duración del desarrollo típico diferencia claramente entre síndrome de Rett y el TID. Entre los dos y los diez años, los niños con TID pierden parcial o totalmente las habilidades que ya habían desarrollado en áreas como el lenguaje, interacción social, juego y habilidades motoras. A partir de este período de regresión, su comportamiento se estabiliza, a diferencia también del síndrome de Rett, aunque los niños suelen presentar un grave retraso mental e incluso sufrir ataques.

Trastorno extendido del desarrollo
no especificado (TEDNE)

El TEDNE es lo que se suele conocer como «diagnóstico de exclusión» y que sólo se utiliza cuando el niño muestra síntomas de TED que no se ajustan a los criterios descritos para alguno de los restantes trastornos de esta categoría. El diagnóstico del TEDNE se utiliza en el caso de niños con desequilibrios en sus interacciones sociales junto con un desequilibrio en el desarrollo del lenguaje y las habilidades de comunicación o una pauta de comportamientos y actividades limitados o repetitivos.

Por ejemplo, un niño puede ser diagnosticado de TEDNE y no de trastorno autista si no muestra todos los síntomas requeridos para un diagnóstico de trastorno autista o si son de naturaleza más moderada. Los criterios de diagnóstico del TEDNE son menos exactos que los que se usan en otras clasificaciones de diagnóstico en el ámbito de la categoría del TED.

❧ ❧ ❧

TABLA 1.1. Características de los Trastornos Extendidos del Desarrollo.

Características	Trastorno autista	Síndrome de Asperger	TEDNE	Trastorno infantil de desintegración	Síndrome de Rett
Desequilibrio social	X	X	X	X[b]	X
Trastorno de lenguaje y comunicación	X		X[a]	X[b]	X
Intereses y actividades repetitivos	X	X	X[a]	X[b]	
Inteligencia media		X			
Aparición antes de los 36 meses	X				X
Período de desarrollo normal seguido de pérdida de habilidades en diferentes áreas	X			X	X
Desequilibrio relativo	Variable	Más moderado	Más moderado	Más grave	Más grave
Prevalencia relativa	Más elevada	Intermedio	Más elevada	Menor	Menor

Nota: [a] Deben estar presentes por lo menos dos de estas características.
[b] Deben estar presentes por lo menos tres de estas características.

Estoy convencida de que comprendes mucho mejor las diferencias entre cada TED. Si deseas más información puedes consultar la Tabla 1.1, aunque lo más seguro es que te sigas preguntando: «Pero ¿qué tiene que ver todo esto con el autismo?» y «¿Cómo puedo saber si mi hijo tiene autismo y no otro trastorno de TED?». ¡Sigue leyendo!

Trastorno autista y TEDNE

Para simplificar las respuestas a estas preguntas, trabajaremos dos TED en el resto del libro: el trastorno autista y el TEDNE, trastornos que se suelen presentar en los niños menores de tres años y que, por lo tanto, son más significativos para ti y tu hijo mientras identificas las claves de una detección e intervención precoces. El síndrome de Rett y el trastorno infantil de desintegración son bastante raros y muy diferentes en su proceso y resultado del trastorno autista y el TEDNE. Por su parte, el síndrome de Asperger casi nunca se detecta antes de los tres años, sin los extraordinariamente preocupantes síntomas que impulsar a los padres a apresurarse a acudir al pediatra en busca de respuestas. Si te estás preguntando si tu hijo menor de tres años tiene síntomas de autismo, es improbable que pueda ser diagnosticado de Asperger.

Las diferencias entre el trastorno autista y el TEDNE pueden ser bastante sutiles, y a menudo dificultan el diagnóstico en los niños muy pequeños. Comparado con los diagnosticados de trastorno autista, los que lo han sido de TEDNE suelen presentar síntomas más moderados, atípicos o ambos, de manera que un profesional de asistencia sanitaria podría determinar que un niño tiene TEDNE y otro, igualmente competente, inclinarse por el trastorno autista. **A los efectos de este libro, que se centra en el niño pequeño, usaré el término «autismo» para referirme tanto al trastorno autista como al TEDNE.**

SÍNTOMAS COMUNES DEL AUTISMO

Como ya he indicado anteriormente, la forma en la que se expresa el autismo varía muchísimo de un niño a otro. Veamos por qué:

1. No hay dos niños iguales, tanto autistas como no. Asimismo, cada niño con autismo tiene su propia individualidad, personalidad y características.
2. Cada niño autista muestra una amplia gama de comportamientos, algunos de los cuales se ajustan a lo que se puede esperar para su edad, y otros diferentes, o inusuales, comparados con otros niños. Esta variabilidad conductual es exactamente lo que hace difícil identificar el autismo en los niños pequeños.

Pero cualquiera que sea la gama, intensidad o frecuencia de los síntomas, incluirán un desarrollo atípico en estas tres áreas primarias: 1) habilidades sociales, 2) habilidades de lenguaje y comunicación y 3) comportamientos limitados y repetitivos. Aunque los síntomas en cada área pueden variar de un niño autista a otro, conviene examinar las características típicas que se dan en todos ellos.

Síntoma 1: Desequilibrio en las habilidades sociales

Los seres humanos interactúan instintivamente entre sí. Incluso en la infancia, los bebés se muestran interesados por los rostros, les gusta mantener un contacto físico directo con sus cuidadores, se vuelven al oír una voz y sonríen al reconocer a los miembros de la familia que conoce. A medida que van creciendo, los bebés aprenden a mostrarse sociables e interactivos observando a los demás hablar, jugar y relacionarse mutuamente. Disfrutan de la relación social bidireccional e inician, mantienen y responden a interacciones con los demás. En realidad, buscan estas interacciones.

Sin embargo, los niños con autismo a menudo no muestran el desarrollo esperado de las habilidades tempranas de interacción social.

Dan la sensación de no tener el mismo «motor impulsor» para interactuar socialmente como lo hacen sus iguales. A decir verdad, el desequilibrio de las interacciones sociales constituyen la piedra angular del autismo y están presentes en todos los niños con este diagnóstico. **Si tu hijo no tiene dificultades para iniciar o responder a interacciones con los demás, no tiene autismo.**

Estos desequilibrios sociales afectan tanto a las interacciones de los niños con los adultos como con otros niños, influyendo en la capacidad para iniciar interacciones con otras personas y en la de responder a las que otros han iniciado. A diferencia de los demás niños, los autistas suelen presentar los síntomas siguientes:

- No prestan atención a los adultos ni siquiera cuando están cerca de ellos.
- No sonríen respondiendo a la sonrisa del adulto.
- No responden cuando un adulto los llama por su nombre.
- No inicial interacciones sociales con adultos o iguales.
- No muestran estar disfrutando de los juegos interactivos o de turno con los adultos, tales como «Cú-cú» o «Ahora me ves, ahora no me ves».
- No imitan las acciones de los adultos, tales como decir adiós con la mano.
- No repiten acciones a las que el adulto elogia o presta atención.
- No muestra interés por los demás niños, como por ejemplo observarlos o jugar cerca de ellos.
- No participan en el juego con otros niños.
- No participan en juegos interactivos o bidireccionales con otros niños.
- No imitan las acciones de otros niños.
- No inician el juego con otros niños, como por ejemplo saludarlos o darles un juguete.

Cada uno de estos síntomas de desequilibrio social puede variar en frecuencia e intensidad de un niño autista a otro, aunque los déficits sociales constituyen un rasgo importante del trastorno.

Síntoma 2: Desequilibrio en las habilidades de lenguaje y comunicación

Los problemas con el lenguaje y la comunicación pueden adoptar muchas formas en los niños con autismo. Para comprender mejor estos síntomas debes conocer la diferencia entre comunicación, lenguaje y habla:

La *comunicación* es un proceso a través del cual una persona transmite un mensaje a otra. La comunicación puede ser verbal, que implica el uso de palabras, o no verbal, cuando se usan otros comportamientos tales como llorar, alargar la mano, hacer gestos o expresiones faciales. Por el contrario, el *lenguaje* es un sistema de comunicación en el que se utilizan símbolos convencionales para transmitir un mensaje, como por ejemplo el lenguaje de signos, los gestos y las palabras. Llorar no es un símbolo, ni tampoco tirar de la mano de un adulto. Por último, el *habla* se refiere específicamente a una forma de lenguaje en el que se usan palabras habladas para comunicarse.

La característica más común del autismo en el ámbito del lenguaje y la comunicación es el desarrollo retrasado del lenguaje hablado. Casi todos los niños autistas tardan más en alcanzar sus objetivos de lenguaje (véase «Etapas en el desarrollo del lenguaje», capítulo 2). Pero a menudo los problemas van más allá del simple lenguaje. Muchos niños con autismo no comprenden lo más mínimo el proceso de comunicación, no parecen saber que hay un modo de comunicar sus necesidades y deseos a los demás. No saben cómo pedir ayuda, pedir más o hacer una elección si no es recurriendo al llanto o a las rabietas. Ni que decir tiene que este déficit es terriblemente frustrante para los padres, pero imagina cuánto lo debe ser también para el niño.

De un modo similar a sus desequilibrios en la esfera social, los niños autistas tienen dificultades para iniciar la comunicación y responder a la comunicación de los demás. Así, por ejemplo, a diferencia de otros niños con las típicas habilidades de lenguaje y comunicación, los niños autistas suelen presentar los síntomas siguientes:

- No miran a los ojos durante las interacciones lúdicas.
- No siguen el dedo del adulto que indica en una determinada dirección.
- No expresan sus necesidades o deseos a los demás de formas convencionales, como por ejemplo alargar una mano o vocalizar.
- No usan la gesticulación no verbal, como decir adiós con la mano o asentir o disentir con la cabeza.
- No miran el rostro de los demás en busca de información.
- No se comunican con la finalidad de compartir sus intereses o logros con otros, como por ejemplo señalar objetos o sujetarlos para mostrarlos.
- No participan en «conversaciones» bidireccionales de parloteo.

Incluso los niños con autismo que finalmente desarrollan el lenguaje hablado presentan desequilibrios en esta área. Al igual que muchos otros niños que aprenden a hablar, pueden repetir palabras y frases que oyen, pero a diferencia de otros, los autistas pueden imitar la entonación exacta del que habla y persistir en esta repetición («ecolalia») hasta mucho después de que otros niños hayan pasado a un habla interactiva, habitualmente a la edad de tres años.

En ocasiones los niños con autismo repiten palabras o frases que acaban de oír («ecolalia inmediata»), como cuando por ejemplo responden a una pregunta como «¿Quieres que salgamos de paseo?» con «De paseo». Otro tipo de ecolalia se produce cuando repiten cosas que han oído en otro contexto («ecolalia retrasada»), como cuando el niño repite un diálogo de una película de vídeo o cosas que ha oído decir a su maestro en la escuela. Uno de los aspectos más desconcertantes en el autismo es que algunos niños pueden repetir largos segmentos de sus películas o libros favoritos, pero no usar palabras funcionalmente para alcanzar sus objetivos (pedir una galleta, por ejemplo).

Síntoma 3: Intereses limitados
y actividades repetitivas

Algunos pequeños con autismo se muestran absortos con una determinada actividad, juguete o interés con una intensidad inusual. Pueden, por ejemplo, pasar horas abriendo y cerrando la puerta de un coche de juguete, o alinear las piezas de un puzzle una y otra vez, pero sin encajarlas jamás.

Estos niños pueden encontrar confort y seguridad en la repetición de ciertas rutinas, pautas o rituales. Pueden insistir en seguir una pauta particular al vestirse: primero los calcetines, luego los pantalones, luego la camisa, etc. Es posible que necesiten tener el mismo plato y vaso durante las comidas, y en ocasiones, si se produce un cambio en su rutina diaria, explotar en una rabieta de profunda frustración.

Asimismo, los niños pequeños con autismo también realizan movimientos repetitivos desacostumbrados que parecen no servir para ninguna función específica. Por ejemplo, algunos pequeños aletean con las manos, abren y cierran los dedos o giran en círculo. En contadísimas ocasiones pueden mostrar comportamientos de autolesión tales como golpearse la cabeza o morderse las manos.

Algunos niños autistas también demuestran respuestas sensoriales inusuales, que pueden variar ampliamente de uno a otro. Por ejemplo, algunos disfrutan frotando determinadas superficies o son hipersensibles al tacto de las prendas de vestir nuevas. Muchos niños rechazan alimentos de una textura concreta (si bien es cierto que estos hábitos también suelen ser habituales en pequeños no diagnosticados de autismo). Los hay que se muestran extremadamente atentos a los pequeños detalles, como un trozo de hilo en el suelo, pero tropiezan fácilmente con objetos de gran tamaño que encuentran en su camino. Algunos de ellos parecen mostrar desagrado al oír determinados sonidos, tales como la aspiradora o el secador de pelo, aunque no responden cuando papá o mamá los llama por su nombre.

A pesar de la variación en los tipos y extensión de los intereses limitados y actividades repetitivas, veamos algunos ejemplos de comportamientos que se puede observar en ellos:

- Implicarse en actividades lúdicas repetitivas tales como alinear juguetes o voltear objetos.
- Realizar movimientos repetitivos tales como correr en círculo o abrir y cerrar los dedos.
- Mostrar un interés visual prolongado en los objetos, como por ejemplo balancearlos frente a sus ojos, mirarse fijamente en el espejo o mirar objetos que giran.
- Mostrar un interés excesivamente concentrado en un objeto o actividad, como la fascinación por los barcos o los insectos.
- Exigir el cumplimiento estricto de rituales y rutinas.
- Centrar la atención en pequeñas partes de juguetes, tales como las ruedas de un camión en lugar de hacerlo en el todo.

Con frecuencia, las actividades repetitivas van de la mano de un desequilibrio en las habilidades lúdicas. Alrededor de los dieciocho meses, la mayoría de los niños usan la imaginación para convertir un plátano en un teléfono, un cuenco en un sombrero o una pinza para la ropa en un hombrecito. Dado que los niños con autismo tienen a menudo pautas de pensamiento muy literales, un plátano siempre será única y exclusivamente un plátano, y un cuenco sólo un cuenco. No fingirán que su osito de peluche se ha hecho daño y necesita un abrazo.

En relación con las habilidades lúdicas, los niños autistas pueden mostrar los síntomas siguientes:

- No juegan con una variedad de juguetes.
- No utilizan juguetes con la finalidad para la que han sido diseñados (como, por ejemplo, remover una cuchara en un cuenco).
- No ordenan los juguetes según las pautas previstas (por ejemplo, colocar platos de juguete en una mesa).
- No muestran un juego funcional con muñecas, peluches o figurillas (como dar de comer a una muñeca o poner una figurilla en un coche para llevarlo de paseo).

- No crean secuencias de juego (tales como meter a las figurillas en el autobús de juguete, llevarlo hasta su destino y luego sacarlos del bus).
- No juegan con los juguetes de diversas formas (como, por ejemplo, empujar un coche adelante y atrás además de llevarlo a la gasolinera para llenar el depósito, conducirlo de un lado a otro o hacerlo bajar por una pendiente).

Los problemas tempranos relacionados con el desarrollo de las habilidades sociales, de lenguaje y comunicación, y los intereses y actividades limitados y repetitivos son los síntomas primarios utilizados en el diagnóstico del autismo. En capítulos siguientes se explica cómo tú y el profesional de asistencia sanitaria deberíais evaluar estos trastornos del desarrollo. Por ahora, en esta etapa inicial, procura comprender con claridad cómo se presentan estos tres síntomas en general en los niños autistas.

Teniendo en cuenta que los síntomas en cada uno de los tres ámbitos que caracterizan el autismo pueden variar considerablemente de un niño a otro, es muy pronto aún para que hagas suposiciones acerca de tu hijo. En la Tabla 1.2 encontrarás algunos ejemplos.

Causa del autismo

La única respuesta cierta que puedo dar a la pregunta «¿Cuál es la causa del autismo?» es: nadie lo sabe a ciencia cierta. Es una respuesta muy insatisfactoria, lo sé, pero es la mejor de que disponemos actualmente cualquiera de los que trabajamos en este campo.

He leído libros que dedican capítulos enteros a explorar una causa. Tal vez, dicen unos, sea una consecuencia de un síndrome X frágil o de una fenilquetonuria o neurofibromatosis, o quizá, sugieren otros, esté causado por infecciones virales tales como la rubéola congénita, el citomegalovirus o la encefalitis del herpes, o quién sabe, tal vez a condiciones metabólicas como, por ejemplo, anomalías de síntesis de la purina o el metabolismo de los hidratos de carbono. También podría tener su causa en problemas durante la gestación, el sistema inmunológico del niño o la sensibilidad a determinados alimentos, y, por supuesto, todos hemos oído hablar de la posibilidad de que esté relacionado con la administración de timesoral, un conservante basado en el mercurio presente en la vacuna triple vírica (sarampión-paperas-rubéola). (Aunque el mercurio ya no se usa en las vacunas infantiles en Estados Unidos y muchos estudios a gran escala no han detectado ninguna relación entre el timesoral y el autismo, la teoría persiste.)

Así pues, ¿cuál es la respuesta? Sabemos que el autismo afecta al desarrollo del cerebro, ya que este órgano es el responsable de las funciones que presentan anomalías en este trastorno, y sabemos también que la causa del autismo no reside en los padres. Científicos dedicados a la investigación del autismo creen que no existe una sola causa para todos los niños, y que es más que probable que se puedan identificar diferentes combinaciones de factores que podrían ser los causantes de este trastorno en niños diferentes, explicando tal vez por qué los síntomas difieren tanto de un niño a otro.

Afortunadamente, hoy en día la comunidad científica está empezando a desvelar algunos de los misterios que rodean el autismo. Por ejemplo, sabemos que los factores genéticos pueden incrementar la vulnerabilidad del niño o el riesgo de autismo. Este tipo de influencia genética es diferente de la que se aprecia en otros trastornos, tales como el síndrome de Down o la fibrosis quística, en los que el trastorno está provocado por una mutación genética.

Ensayos con gemelos han demostrado que si un gemelo idéntico (gemelos del mismo óvulo fertilizado y, por lo tanto, genéticamente idénticos) tiene autismo, es muy probable (en una proporción superior al 50 %) que el otro también lo desarrolle. Si el autismo fuera puramente genético, el riesgo sería del 100 %, pero lo cierto es que se manifiesta por familias. Cuando un niño en la familia tiene autismo, las probabilidades de que sus hermanos también sean autistas son también más elevadas en comparación con los hermanos de fa-

TABLA 1.2. Variabilidad en la manifestación de los síntomas: tres niños de dos años con autismo.

Jacob	Will	Amy
	Comportamientos sociales	
• Está muy apegado a su madre, le gusta estar en la misma habitación que ella, le gusta encaramarse a su regazo para ensortijar su pelo o darle palmaditas en la mejilla y tiende a buscar la protección de mamá en las nuevas situaciones.	• Es muy retraída y puede estar ocupada durante horas. No busca a sus padres como compañeros de juego.	• Es muy activa y feliz, le encanta correr por la casa y tolera la presencia de sus padres siempre que no le hagan hacer cosas.
• Se muestra menos apegado a su padre, pero tiene un juego favorito en el que se encarama a sus piernas para que lo pasee.	• Muestra poco interés en su hermano menor o su hermana mayor, se disgusta cuando el bebé llora y muy de vez en cuando juega a «Corre corre que te pillo» con su hermana.	• Puede pasar horas sentada y viendo vídeos, pero no se sienta a la mesa durante las comidas más de unos pocos minutos.
• Manifiesta escaso interés por otros niños. En ocasiones los observa, pero mantiene las distancias.	• Se siente muy incómoda en los lugares desconocidos o cuando se le acerca un adulto diferente de papá y mamá, y no le gusta que la tomen en brazos ni se tranquiliza con facilidad.	• Le gusta ir al parque y correr, aunque no presta atención a los demás niños ni siquiera cuando intentan jugar con ella.

Comportamientos de comunicación

- Parlotea constantemente, pero es difícil de entender, sus vocalizaciones parecen estar destinadas más a su propio entretenimiento que a una forma de comunicación, y a veces da la impresión de representar escenas de los vídeos.
- De vez en cuando añade una nueva palabra a su vocabulario, pero no usa ninguna coherentemente.

- Es muy tranquila y casi nunca hace sonidos, exceptuando zumbidos o llanto.
- Llora cuando quiere algo, pero no lo indica señalando o alargando la mano, sus padres tienen que adivinar lo que desea ofreciéndole diferentes objetos y aparta lo que no quiere.

- Suele intentar alcanzar las cosas que quiere en lugar de pedir ayuda y se encarama a las mesas y las sillas para llegar hasta el objeto que desea.
- En ocasiones tira de la mano a papá o mamá hasta la cocina cuando tiene hambre o hacia la puerta cuando quiere salir de paseo.

Comportamientos limitados y repetitivos

- Le gusta ver determinados vídeos y es capaz de elegir el que le apetece ver y operar el equipo reproductor.
- Visiona el mismo vídeo durante varias semanas seguidas, se tapa los oídos y sale corriendo de la habitación durante determinadas secuencias y repite los créditos una y otra vez.
- Se enoja muchísimo si no puede ver el vídeo completo.

- Sus juguetes favoritos son los coches y cualquier vehículo con ruedas.
- Le encanta alinear coches y colocarlos en el suelo y en cajas de zapatos, y se disgusta mucho si su hermana intenta jugar con ella.
- Con frecuencia se tumba en el suelo para ver las ruedas mientras hace rodar los coches cerca de sus ojos.

- No juega con ninguno de sus juguetes; prefiere los objetos domésticos.
- Sus actividades favoritas son alinear y clasificar tenedores y cucharas, y hacer rodar botellas por el suelo, adelante y atrás.
- Siempre tiene un tenedor o una cuchara en la mano, y a veces la sostiene cerca de los ojos para examinarla o balancearla delante de la cara.

milias no afectadas. No obstante, los científicos aún no han identificado la combinación específica de genes que actúan conjuntamente para incrementar la vulnerabilidad de los niños al autismo.

Muchas familias se preguntan cómo es posible que su hijo haya heredado el trastorno ante un historial nulo de casos en el entorno familiar extendido. En estos supuestos, no es infrecuente descubrir que algunos miembros de la familia, bajo un minucioso examen, muestran comportamientos coherentes con los síntomas del autismo. Por ejemplo, pueden tener dificultades en la interacción social, haber sufrido retrasos en el lenguaje en la infancia, intereses altamente limitados o una combinación de los mismos. Estos síntomas son a menudo más moderados que los que se manifiestan en individuos diagnosticados de autismo y que se asocian al «fenotipo autista más amplio». (Un fenotipo es la expresión física o conductual de los genes.)

La genética del autismo es compleja, puesto que la vulnerabilidad heredada puede no desembocar en síntomas de comportamiento autista en todos los niños. Los científicos creen que una tendencia genética hacia el autismo puede operar en combinación con otros factores no heredados, tales como las influencias medioambientales, para que un pequeño presente los comportamientos característicos del autismo.

Entre los factores medioambientales podríamos incluir la interrupción del aporte de oxígeno al cerebro durante el embarazo o incluso la exposición a un pesticida. Cada una de estas condiciones pueden influir negativamente en el desarrollo del cerebro, aunque debo señalar que la combinación exacta de factores genéticos y medioambientales subyacentes que causa el autismo es una de las piezas ausentes en este complicado puzzle.

Asimismo, los investigadores han determinado que el riesgo de autismo no se incrementa como consecuencia de su trasfondo racial, étnico, geográfico o socioeconómico. Por razones desconocidas, sin embargo, los niños varones son tres o cuatro veces más propensos al autismo que las niñas. Con todo, hay que tener en cuenta que el riesgo de presentar problemas del desarrollo de diferentes tipos, incluyendo el déficit de atención/hiperactividad y trastornos del aprendizaje, es siempre superior en los varones.

Existen muchos más «no se sabe» que «se sabe» acerca de la causa del autismo, y creo que el descubrimiento de la causa elusiva, o más probablemente, causas, sólo se producirá después de una larga y compleja investigación que implique la colaboración entre investigadores especializados en biología, cerebro y ciencias del comportamiento.

IMPORTANCIA DE LA DETECCIÓN
E INTERVENCIÓN PRECOCES

Como ya hemos dicho, la causa del autismo es hoy por hoy desconocida y no existe cura alguna. Pero no todo es descorazonador. Algunas investigaciones han identificado muchas prácticas educativas eficaces a la hora de ayudar a los niños que sufren este trastorno a mejorar sus habilidades y su comportamiento (véase capítulo 4). Los resultados para los niños autistas con un diagnóstico precoz y que reciben una atención especializada precoz son mucho mejores en la actualidad que en el pasado en términos de desarrollo cognitivo, habilidad de lenguaje, habilidades sociales y funcionamiento conductual en general. En realidad, algunos pequeños diagnosticados de autismo a los dos años no presentan el mismo diagnóstico dos o tres años más tarde.

Es cierto. Antes solía decir a los padres con hijos autistas que probablemente podrían sufrir el trastorno durante el resto de su vida, pero ahora que el autismo se diagnostica mucho antes y se interviene con mayor eficacia he cambiado de proceder. Si los niños diagnosticados de este trastorno reciben una atención apropiada, su vía de desarrollo se puede alterar muy positivamente. Una intervención precoz puede modificar la forma en la que se desarrolla el cerebro. El porcentaje de pequeños con autismo que «abandonan el espectro» sigue siendo bajo y aún no estamos en condición de predecir cuáles lo superarán y cuáles no, pero se están realizando innumerables investigaciones tendentes a responder a esta cuestión.

Sobre esta base, los padres se pueden centrar en las necesidades presentes de su hijo para ayudarlos en su desarrollo y abrigar la esperanza de que sea uno de los que hayan sido diagnosticados de autismo a los dos años pero que la superen en años venideros. En general, los pequeños que abandonan el espectro autista siguen mostrando algunos problemas de desarrollo, tales como desequilibrios en el lenguaje o retrasos en el desarrollo, pero las mejoras en el comportamiento pueden ser considerables.

La investigación actual

Se ha debatido e investigado muchísimo acerca de la posibilidad de que exista una relación entre las vacunas infantiles y el autismo. Los Centros para el Control y Prevención de Enfermedades en Estados Unidos realizan muchos estudios federales sobre grandes poblaciones (estudios epidemiológicos) que examinan detenidamente esta posibilidad. En realidad, el estudio más contrastado sobre la conexión entre autismo y vacunas no ha descubierto vínculo alguno. Encontrarás información actualizada acerca de este estudio en la página Web: www.cdc.gov/nip/vacsafe/concerns/autism/default.hatm.

También puedes encontrar más datos sobre esta cuestión en un artículo titulado «FAQs About MMR Vaccine y Autism» publicado por el National Immunization Program en www.cdc.gov/nip/vacsafe/concerns/autism/autism-mmr.htm y en otro titulado «Autism and the MMR Vaccine», publicado por el Instituto Nacional de Salud Infantil y Desarrollo Humano de Estados Unidos en www.nichd.nih.gov/publications/pubs/autism/mmr/index.htm.

Preguntas más frecuentes

Aquí y al término de cada capítulo respondo a las preguntas sobre el autismo que con mayor frecuencia me han formulado los padres.

¿Hay más niños con autismo hoy en día que en el pasado?

Es muy difícil determinar si en la actualidad es mayor el número de niños autistas o si estamos mejor preparados para identificar y diagnosticar este trastorno. Aunque el autismo fue descrito por primera vez en 1943, es muy posible que muchos individuos con autismo se diagnosticaran erróneamente hasta los años setenta o incluso los ochenta. Los niños con un funcionamiento más elevado que usaban el lenguaje y tenían habilidades cognitivas medias podrían haber pasado por el sistema educativo regular en la escuela y haber sido considerados «raros» por sus compañeros de clase. Otros podrían haber sido diagnosticados de esquizofrenia a causa de su comportamiento inusual. Por su parte, los niños que funcionaban a niveles cognitivos más bajos es probable que fueran clasificados como retrasados mentales en lugar de autistas. Hoy en día se hace un hincapié muchísimo mayor en la distinción de las sutilezas entre diferentes trastornos del desarrollo.

Así pues, es innegable que el número de niños diagnosticados de autismo es mayor hoy en día que en el pasado, lo cual es debido, en parte, al mayor conocimiento de los signos y síntomas de este trastorno entre la comunidad médica y también entre los padres, de manera que ahora más niños reciben un diagnóstico correcto. Asimismo, actualmente somos capaces de diagnosticar el autismo a una edad mucho más temprana, y es natural que, añadiendo los niños de dos y tres años a los mayorcitos, el número total aumente.

Finalmente, los criterios de diagnóstico del autismo han cambiado con el tiempo y son ahora más inclusivos. En la actualidad se están identificando niños con desequilibrios más moderados, lo que contribuye asimismo a elevar la cifra de niños diagnosticados. En resumidas cuentas..., sí, el número de niños diagnosticados de autismo se ha incrementado, pero lo que no está ya tan claro es si la cifra actual de niños autistas ha cambiado drásticamente con los años.

¿Cómo puedo saber si mi hijo de dos años no presenta un retraso en el habla?

Es una cuestión importante, pues los métodos que se utilizan para tratar los retrasos en el lenguaje hablado no son los mismos que se usan en el autismo. Hay dos formas principales de que los niños con autismo se diferencien de los que presentan única y exclusivamente un retraso en el habla. En primer lugar, los pequeños con retrasos en el habla y que no son autistas son capaces de comunicarse con los demás; simplemente tienen dificultades para usar palabras para hacerlo. Recurren a formas no verbales para comunicar sus necesidades, lo que les gusta y lo que les desagrada, como por ejemplo señalando las cosas que quieren o arrugando la nariz para que sus padres sepan que algo no les gusta. Por el contrario, los niños pequeños con autismo tienen siempre dificultades de comunicación tanto no verbal como verbal.

En segundo lugar, los pequeños con retrasos en el lenguaje hablado no muestran los desequilibrios en la relación social y la reciprocidad que sí caracteriza a los autistas. Tienen más intereses sociales y disfrutan atrayendo la atención de sus padres con actitudes «bobas» destinadas a hacerlos reír o mostrarles un puzzle que han completado. Al igual que otros niños con autismo, buscan la interacción con los demás y les gusta participar en relaciones bidireccionales con otras personas.

Mi esposa y yo tenemos un niño de cinco años diagnosticado de autismo y vamos a tener nuestro segundo hijo, otro varón. ¿Qué probabilidades hay de que también sea autista?

Dado que el autismo es un trastorno en el que el riesgo puede ser hereditario, el segundo hijo tendrá mayores probabilidades de desarrollar autismo que otros niños, aunque el riesgo sigue siendo bastante bajo. La recurrencia en el riesgo de autismo para hermanos sucesivos de pequeños con autismo es de 3-8 %. Esto significa que entre tres y ocho niños de cada cien nacidos en familias que ya tienen un hijo autista serán diagnosticados de este trastorno. Asimismo, los hermanos posteriores presentan un mayor riesgo de mostrar algunas características del autismo (el «fenotipo autista más amplio») sin evidenciar el trastorno en toda su magnitud.

No dejes que la información de este capítulo introductorio te asuste. Está destinado a proporcionarte un conocimiento profundo de las características del autismo y de sus múltiples manifestaciones en general. Esto debería ayudarte a diferenciar la información sensacionalista de los medios de los hechos comprobados y darte una base que te permita pasar al capítulo siguiente. Es hora de volver la página y aprender a aplicar a tu hijo los datos sobre el autismo.

CAPÍTULO 2

Síntomas

Los niños pequeños pueden ser impredecibles y obstinados. El maravilloso «adiós» con la manita de cada día desaparece de repente cuando deseas que se despida de su abuela. Así es como son los niños, y ésta es la razón por la que el autismo no puede ser diagnosticado durante una breve visita al médico, especialmente en el caso de niños muy pequeños.

Sabiendo como sabemos que el comportamiento de los pequeños puede cambiar de un momento a otro, en general los profesionales de asistencia sanitaria tratamos de no evaluarlos negativamente a partir de su comportamiento durante una breve visita. Si el niño no responde, nos inclinamos a considerar que quizá se siente incómodo en aquel momento o que es simplemente tímido. Si no sonríe o no nos saluda con la mano es posible que sea uno de aquellos pequeños que se muestran cautelosos ante los desconocidos y que necesitan más tiempo de «precalentamiento» en sus interacciones sociales. En estas situaciones tendemos a suponer que el pequeño tiene la habilidad de interactuar y responder socialmente pero que no la evidencia durante el examen.

Esta suposición suele ser correcta en la mayoría de los casos, pero cuando se trata de niños con autismo, puede ser arriesgado asumir que tienen esa habilidad, y lo que en principio podría ser una «tolerancia ocasional» se podría convertir en una gigantesca bandera roja delante de nuestros ojos de la que estamos haciendo caso omiso.

Así pues, ¿cómo se pueden interpretar los comportamientos observados? ¿Cómo saber si aquel niño distante se siente momentáneamente disgustado o tímido, o si este comportamiento suele reproducirse en muchas situaciones y es una causa de preocupación? Bien, probablemente no podamos responder a estas preguntas sobre la base de una breve observación. De ahí que necesitemos la información que nos dan los padres para ayudarnos a situar los comportamientos que estamos observando en el contexto de lo que saben de su hijo.

Lo conoces mejor que nadie en el mundo. Lo ves por la mañana al despertarse y por la noche al acostarse, en lugares familiares y sitios nuevos, cuando está solo y cuando está con otras personas. Lo ves asimismo cuando está enfermo y cuando se siente bien, durante las comidas y el juego, en casa y en la comunidad. Y probablemente incluso lo observes en ocasiones mientras duerme. Conoces lo que le gusta y le disgusta, sus hábitos y pautas, sus necesidades y estados de ánimo. Y sabes por instinto cuándo algo no marcha bien. Así pues, en este capítulo he recopilado información que te capacitará para ser un observador cuidadoso y objetivo de los síntomas tempranos de autismo para que puedas ayudar a los profesionales de asistencia sanitaria que atienden a tu hijo a identificar el trastorno con mayor precisión, o a descartarlo, lo antes posible.

CUANTO ANTES, MEJOR

Aunque las investigaciones han revelado que el autismo se puede diagnosticar con precisión en pequeñines de veinticuatro meses, la media de edad para un diagnóstico definitivo sigue siendo entre tres y tres años y medio. Esto es indiscutible. Comprendo perfectamente la razón por la cual los padres que presienten que «algo» anda mal, intenten borrar a toda costa de la mente esa sensación con la esperanza de que todo se solucione sin mayores problemas. Es muy difícil decir en voz alta: «Mi hijo no se está desarrollando como debería».

Por desgracia, un diagnóstico tardío del autismo arrebata al niño y a su familia valiosísimas oportunidades de mejoría además de innumerables vías de trabajo cognitivo y emocional durante el proceso de desarrollo del cerebro y el comportamiento. Los pequeños con

🔢 En cifras

Los Centros para el Control y Prevención de Enfermedades en Estados Unidos y el Programa de Vigilancia de Discapacidades en el Desarrollo del Metropolitan Atlanta realizaron un estudio para comparar los índices de autismo con los de otras discapacidades infantiles. Los investigadores concluyeron que la tasa de autismo en niños de tres a diez años es del 3,4 por mil, inferior a la del retraso mental (9,7 por mil). Sin embargo, el mismo estudio descubrió que los índices de autismo eran superiores a los de la parálisis cerebral (2,8 por mil), sordera (1,1 por mil) y trastornos visuales (0,9 por mil).[1]

autismo que participan en programas de intervención precoz estructurados, especializados y coherentes muestran espectaculares mejorías en sus habilidades y comportamientos. Si tienes la sensación de que algo no marcha bien, por el bien de tu hijo no lo niegues sin más. **Una intervención precoz es esencial para obtener resultados óptimos en los niños autistas.**

¿Cuáles son los primeros síntomas?

Si estás preocupado por la posibilidad de que tu bebé menor de doce meses no se esté desarrollando a tenor de los estándares esperados, deberías comentarlo con el pediatra sin necesidad de mostrarte alarmista. Es indudable que la familia y los amigos te asegurarán que todos los niños son únicos, que no puedes compararlos y que indudablemente no tardará en alcanzar el grado de desarrollo de los demás. Y es posible que estén en lo cierto. Pero cada día los científicos aprenden más y más acerca de la sintomatología del autismo y es importante que los padres y profesionales de asistencia sanitaria también lo conozcan.

Un reciente estudio efectuado por Lonnie Zwaigenbaum, de la Universidad McMaster de Ontario, Canadá, por ejemplo, estaba diseñado para identificar comportamientos en niños de doce meses que diferenciaran a los que más tarde fueron diagnosticados de autismo de quienes no lo fueron.[2] Los investigadores compararon hermanos sucesivos de pequeños con autismo (con mayor riesgo de desarrollar este trastorno) con los niños de la población general. La muestra seleccionada incluía niños de seis a veinticuatro meses. Los hermanos que más tarde fueron diagnosticados de autismo mostraron como grupo varias diferencias en relación con otros pequeños de doce meses:

- Menor contacto visual con los demás.
- Mayor dificultad en el seguimiento visual (observando un objeto mientras se desplaza de un lado a otro de su rostro).
- Menor sonrisa social.
- Interés social general limitado.
- Menor probabilidad de imitar acciones de otros.
- Puntuaciones más bajas en tests de lenguaje.
- Según sus padres, mostraban reacciones de disgusto más frecuentes e intensas.

Estos descubrimientos son muy interesantes, ya que pueden proporcionar algunas claves importantes para mejorar la detección precoz. No obstante, es desaconsejable saltar a las conclusiones a partir de los resultados de un estudio. Podría darse el caso de que estos descubrimientos sólo fueran aplicables a esta muestra particular de niños en Ontario y que no hayan sido identificados por otros investigadores en otras regiones geográficas. Las conclusiones son siempre más fiables cuando diferentes grupos de investigación obtienen resultados similares, es decir, cuando se replica el estudio.

Asimismo, es importante reconocer que estas diferencias se observaron al comparar grupos de niños y no se puede usar esta información para determinar qué combinación de los siete comportamientos enumerados, si se dan, predecirá un diagnóstico tardío de autismo para un individuo de doce meses. Estos comportamientos podrían ser en realidad signos incipientes de autismo, o tal vez no, pero en cualquier caso, todo este tipo de preocupaciones relacionadas con el desarrollo se deberían consultar con el pediatra y anotarse en la historia clínica del niño para su seguimiento en el tiempo.

La edad más temprana para el diagnóstico

Debes comprender que aunque nuestro conocimiento de los signos incipientes de autismo es cada vez mayor, en la mayoría de los casos el diagnóstico no se concreta hasta los dos años de edad. Esto se debe a que la precisión del diagnóstico de este trastorno sólo se ha estudiado sistemáticamente en pequeños de hasta veinticuatro años. Clínicos expertos pueden coincidir, a partir de sus investigaciones, en si un niño de dos años tiene o no autismo, aunque no siempre estar de acuerdo en si se trata de un diagnóstico específico de trastorno autista o TEDNE. También sabemos que un diagnóstico de autismo realizado a los dos años es bastante estable en el tiempo, mientras que aún no se conoce la fiabilidad o estabilidad del diagnóstico cuando el pequeño es menor de veinticuatro meses.

Algunos clínicos dirán que han diagnosticado niños autistas a edades mucho más tempranas, a los dieciocho meses por ejemplo, o incluso a los catorce o quince. Y sí, he visto personalmente a niños de alrededor de estas edades que me han hecho sospechar. No obstante, no se dispone aún de una forma sistemática para determinar si el diagnóstico es preciso o estable. Nuestros tests de diagnóstico no estaban diseñados para ser utilizados con niños tan pequeñitos. De manera que actualmente es muy difícil decir si aquellos niños sospechosos de autismo acabarán desarrollando el trastorno o cualquier otro tipo de anomalía del desarrollo (como se explica más ampliamente en el capítulo 3). Afortunadamente, son incontables los investigadores, incluida yo, que están trabajando con ahínco para identificar los signos precoces de autismo para que se pueda realizar un diagnóstico preciso a edades más tempranas.

Sé, sin embargo, que mi optimismo acerca del futuro no te ayudará demasiado en estos momentos, y comprendo que con el temor

al autismo que nos invade en nuestra sociedad actual resulte inso-
portablemente difícil esperar la primera sonrisa, la primera palabra,
el primer abrazo, y luego el siguiente y el siguiente. Pero lo cierto es
que no hay vuelta de hoja. El diagnóstico de autismo requiere tiempo y paciencia, pues se basa exclusivamente en observaciones de
comportamientos, sin hemograma alguno ni recurso a indicadores
biológicos que sirvan de orientación.

Recuerda que el autismo es un diagnóstico basado en el comportamiento. De manera que si estás preocupado por el desarrollo de tu
bebé, deberías observarlo y anotar las conductas que consideres inusuales comparadas con otros niños. Estas observaciones serán muy
importantes cuando todas las piezas del puzzle empiecen a encajar a
medida que tu hijo vaya creciendo.

¿Por qué es tan importante un diagnóstico precoz?

Algunas personas me preguntan por qué nos molestamos en diagnosticar el autismo a los dos años cuando tal diagnóstico puede resultar tan frustrante para los padres. Hay quien cree que no es necesario identificar a estos niños hasta que llegue el momento de iniciar
la escolaridad. La respuesta a esta pregunta es extremadamente importante.

La detección precoz es vital para que los niños estén preparados
para empezar la escuela. Cuanto más pequeño es el niño, mayor es
el impacto de la intervención. El desarrollo cerebral es muchísimo
más influenciable en las primeras etapas de la vida. Queremos que
los niños autistas sean capaces de asistir con regularidad a preescolar con otros niños de su edad, lo cual resultará mucho más probable si reciben una intervención especializada lo antes posible que les
proporcione la habilidades necesarias para navegar en las complejas
demandas sociales del entorno escolar.

El autismo no es un diagnóstico inmutable. En realidad, una intervención precoz mejora los resultados. Tras haber superado la
agonía inicial de oír las palabras «Tu hijo muestra signos de autismo», la mayoría de los padres acaban comprendiendo que una de-

tección precoz es muy positiva, que les ofrece la oportunidad de hacer algo concreto que puede cambiar positivamente el proceso de desarrollo de su hijo.

En cualquier caso, tal y como se explica en la siguiente sección, la detección precoz no está exenta de riesgos.

La investigación actual

Podrías preguntarte: «Si el diagnóstico de autismo no se puede determinar definitivamente hasta los dos años, entonces ¿cómo se pueden identificar los síntomas que se manifiestan antes de esa edad?». Desde luego no es fácil. Existen tres enfoques principales en el estudio de la sintomatología incipiente, cada uno de los cuales con sus ventajas y limitaciones:

1. **Informes retrospectivos de los padres.** *Pedir a los padres de niños diagnosticados de autismo que respondan a preguntas acerca de cómo era su hijo antes de su segundo aniversario.* Dado que los padres conocen mejor que nadie a sus hijos, este tipo de informes constituyen una fuente importante de información. Sin embargo, es muy difícil para cualquier padre, y en especial si lo es de un niño mayor, recordar detalles intrincados de su comportamiento cuando ya han pasado algunos años. Asimismo, saber que su hijo es autista puede influir en sus recuerdos de comportamientos tempranos, en particular a medida que van aprendiendo más cosas de cómo se supone que debería ser un niño con autismo.

2. **Vídeos domésticos.** *Visionar vídeos que los padres han grabado de sus hijos diagnosticados de autismo en sus primeras etapas de vida.* Los vídeos domésticos de niños menores de dos años, antes de un diagnóstico, es menos probable que estén influenciados por el conocimiento de los padres de las características del autismo, aunque siempre existe la posibilidad de que las cintas que hayan guardado representen los comportamientos «mejores» y no los típicos del niño. Asimismo, las si-

tuaciones en las que se han grabado los vídeos (por ejemplo, durante el juego, las comidas, una fiesta de cumpleaños, de vacaciones, etc.) pueden diferir considerablemente de una familia a otra, estableciendo una gran diferencia en el tipo de comportamientos observables de un vídeo a otro.

3. **Estudios prospectivos de niños de «alto riesgo».** *Hacer un seguimiento del niño en el que se ha detectado un riesgo elevado de autismo a lo largo de los años.* Tu hijo puede tener un alto riesgo de desarrollo de autismo ya sea como resultado de un examen clínico de desarrollo o de haber nacido en una familia con un historial de autismo. El estudio de los hermanos sucesivos del niño autista a lo largo del tiempo puede ser especialmente útil, ya que se puede realizar un seguimiento desde su nacimiento, a pesar del elevado coste del programa. Dado que sólo el 5 % de estos hermanos desarrollarán este trastorno, no hay otra alternativa que estudiar un gran número de niños para recopilar información acerca de los que reciben un diagnóstico de autismo. Asimismo, cuanto más pequeños son, más prolongado y, por consiguiente, también costoso resulta el período de seguimiento hasta que se puede realizar un diagnóstico definitivo.

LOS RETOS DE LA DETECCIÓN PRECOZ

Es más fácil diagnosticar el autismo cuando el niño tiene cuatro o cinco años que cuando sólo tiene dos. Para empezar, los criterios *DSM-IV* no se desarrollaron para niños muy pequeños, de manera que los clínicos deben adaptarlos de formas que aún no han sido estandarizadas en la comunidad médica. También existen otros retos asociados a la detección precoz del trastorno autista que examinaremos a continuación.

Falsos indicadores

Recordarás del capítulo anterior que los criterios *DSM-IV* para el autismo se dividen en tres categorías:

1. Interacción social.
2. Habilidades de lenguaje y comunicación.
3. Comportamientos limitados y repetitivos.

Los comportamientos de la tercera categoría suelen ser los más fáciles de identificar aunque, considerados en sí mismos, tienden a ser menos útiles a la hora de identificar el autismo en los niños pequeños. Desde luego, es más fácil advertir el aleteo de las manos o el balanceo del cuerpo que la falta de respuesta a una sonrisa, pero las conductas limitadas y repetitivas son características de muchos niños sin autismo y no han sido observadas universalmente en los que sí lo tienen en este grupo de edad.

Es verdad que los niños autistas pueden desarrollar un inusual e intenso interés por un objeto particular, como en el caso de los coches de juguete o cordones de los zapatos, pero los que no lo son también pueden desarrollar un apego especial a determinadas cosas, como por ejemplo una almohada favorita o una colección de guijarros. Mi hijo no es autista, pero a partir de los dieciocho meses, y durante dos años, desarrolló un interés excesivo por los ventiladores. De visita en casa de los amigos, se paseaba por todas las habitaciones observando los ventiladores instalados en el techo, los contaba y los contemplaba ensimismado mientras giraban. Cuando íbamos a comprar a una ferretería, para evitar que se «acomodara» permanentemente en la sección de acondicionadores y ventiladores, evitábamos visitarla a toda costa. De lo contrario, salir de la tienda podía costar un berrinche de mucho cuidado. Y por si esto no fuera poco, su primera combinación de palabras fue «gira y gira», refiriéndose al ventilador que estaba mirando. Ni que decir tiene que este comportamiento nos parecía inusual, pero lo cierto es que no estaba preocupada por un posible diagnóstico de autismo, pues era una de las múltiples formas que tenía de entretenerse. Ocurría en el contexto de otros comportamientos lúdicos, creativos y flexibles, y en el de las habilidades sociales y de comunicación propias de su edad. Así pues, la presencia de una conducta repetitiva aislada no es un signo inequívoco de autismo.

A decir verdead, muchos niños de dos años sin autismo disfrutan con actividades y rutinas repetitivas. A esta edad, a todos los pequeños les gustan las rutinas, sobre todo a la hora de acostarse y al despertar. Si un niño está acostumbrado por la noche a baño-cena-pijama-cuento, ¡que se vaya preparando la canguro de turno que no lo sepa o que invierta el orden de estas actividades; le arruinarán la noche.

Incluso las actividades motoras repetitivas no son infrecuentes en los niños de este grupo de edad, que pueden realizarlas en círculo una y otra vez por simple diversión. Así, por ejemplo, pueden retorcer el cuerpo en posiciones inusuales sólo para averiguar qué se siente, o taparse la cara con la mano y levantar alternativamente los deditos para comprobar cómo se ven las cosas. Cuando se trata de movimientos corporales, algunos pequeños hacen cosas que podríamos considerar «raras», pero que no implican trastorno médico alguno.

En consecuencia, el hecho de que un niño tenga comportamientos poco habituales no es un diagnóstico en sí mismo. Pueden ser signos falsos. El diagnóstico de estas conductas sólo se puede comprender en el contexto de los demás comportamientos en diferentes situaciones. ¿Cuánto tiempo dedica a actividades relacionadas con los ventiladores? ¿Pasa la mayor parte de sus horas de vigilia mirándolos o contemplando, absorto, libros con imágenes de ventiladores u objetos giratorios que parecen ventiladores, o incluso construyendo objetos en forma de ventilador con materiales de juego? ¿O se entretiene con otras muchas actividades lúdicas, mientras que los ventiladores ocupan una pequeña parte del día? ¿Están limitadas al entorno doméstico las actividades asociadas a los ventiladores o las realiza en muchos lugares diferentes durante el día? ¿Es fácil recanalizar su atención hacia juguetes o actividades diversas o se disgusta si lo intentas? ¿Hasta qué punto su interés por los ventiladores perturba las actividades familiares? Y tal vez lo más importante en un diagnóstico de autismo: ¿Cómo son las interacciones sociales del niño? ¿Las disfruta y las busca? ¿Es fácil implicarlo en el juego?

En el caso de los comportamientos repetitivos de los niños autistas lo que varía es la intensidad con la que los realizan y que se producen paralelamente a un déficit social y de comunicación. En lo que concierne a un diagnóstico de autismo, si las habilidades sociales y de comunicación del pequeño son buenas, no importa lo «raros» o «inusuales» que sean sus comportamientos.

Síntomas ocultos

Los síntomas conductuales en las categorías social y de comunicación son los indicadores más fiables de autismo en los niños pequeños, aunque también pueden ser los más difíciles de observar.

Los déficits sociales y de comunicación en los niños autistas no representan la presencia de comportamientos inusuales, sino la ausencia de comportamientos esperados. No devolver la sonrisa a papá o mamá, no recabar su atención o no imitar las acciones de un hermano mayor son signos mucho más difíciles de identificar, especialmente en un entorno clínico.

Angela, por ejemplo, parecía una típica niña de dos años la primera vez que su madre la llevó a mi consulta. Quedé inmediatamente deslumbrada por sus preciosos ojitos azules y su rostro angelical. Realmente, su nombre hacía honor a su aspecto. Se sentó a una mesita pequeña a jugar con bloques de madera. Mientras parloteaba todo el tiempo, Angela tomó el primer bloque, luego el siguiente y el siguiente y los fue dejando caer al suelo hasta tener a sus pies toda la colección. ¿Era un comportamiento repetitivo o una simple chiquitina experimentando con la gravedad y practicando el arte y el gozo del lenguaje? A partir de esta breve observación, no había nada en su aspecto y conducta exteriores que pudieran hacerme exclamar: «¡Ajá! ¡Esta niña es autista!».

Necesitaba profundizar más en los comportamientos que no había tenido la ocasión de observar durante una simple sesión de juego, como por ejemplo saber cómo interactuaba con sus padres y conmigo. ¿Qué haría si sus padres estuvieran en la consulta con ella? ¿Habría continuado jugando con los bloques o hubiera intentado llamar la atención de papá y mamá para que jugaran con ella? ¿Qué pasaría si sus padres intentaran sugerirle un juego diferente?

¿Y cómo respondería conmigo? ¿Le arrancaría una sonrisa haciendo muecas divertidas? ¿Nos lo pasaríamos bien jugando juntas? Y de ser así, ¿me miraría y sonreiría expresando sus sentimientos? Si interrumpiera un juego, ¿me haría saber que desea continuar? Necesitaba saber mucho más acerca de todo cuanto no podía ver, y saberlo me llevaría tiempo y muchísima información de sus padres.

Asimismo, los síntomas sociales son difíciles de identificar porque no disponemos de los mismos tipos de definiciones precisas de los hitos o etapas de los comportamientos sociales como sí tenemos en cambio para las habilidades motoras o de lenguaje. Sabemos que los niños deberían empezar a caminar alrededor de un año, y hablar a los dos. Pero ¿cuándo se supone que deberían sonreír como respuesta a un estímulo o exigir atención? Cuando se trata de conductas sociales no disponemos de un mapa que seguir. La disponibilidad y conciencia de los hitos del lenguaje en nuestra cultura pueden ser una razón por la cual el retraso en el desarrollo del habla, y no en el desarrollo social, es el síntoma precoz más común del que hablan los padres de niños a los que finalmente se acaba diagnosticando de autismo.

No es todo o nada

Los síntomas del autismo no son del tipo de «hay» o «no hay». Los comportamientos afectados por el trastorno son complejos. No se trata de que los niños autistas nunca te sonrían o te miren. En ocasiones no lo hacen, pero en otras sí. La diferencia entre el comportamiento social de niños de dos años con y sin autismo es una cuestión de grados de sutileza.

Los pequeños con autismo pueden mostrar algunos de los mismos comportamientos sociales y de comunicación apropiados a su edad que otros niños, aunque existen diferencias cualitativas en la forma de manifestarlos. A veces la diferencia reside en la regularidad con la que los niños autistas muestran estos comportamientos. Por ejemplo, pueden imitar palabras con la misma claridad que otros niños; lo que ocurre es que lo hacen con menor frecuencia. Y pueden mirar y sonreír a sus padres al jugar a «Ahora te veo, ahora no te veo», pero no utilizan estos mismos comportamientos para compartir la diversión con ellos durante ninguna otra actividad. De manera que las conductas parecen idénticas cuando ocurren, aunque su frecuencia es menor.

Otras veces la diferencia entre los comportamientos sociales y de comunicación observados en los niños con autismo y sin autismo está más asociada al esfuerzo que tienen que hacer los padres para desencadenarlos. Tomemos como ejemplo la sonrisa. Los pequeños con un desarrollo típico a menudo sonríen espontáneamente a sus padres, tal vez cuando entran en la habitación o le dan algo que les gusta. Pueden sonreír para interactuar, para comunicar placer o para obtener una determinada respuesta. Provocar una sonrisa cuesta muy poco a los padres de un niño con un desarrollo típico.

Por el contrario, los padres de niños autistas suelen tener que esforzarse considerablemente para arrancarles una sonrisa. Es posible que un pequeño con autismo no sonría hasta que su madre realiza un gran desfuerzo para atraer su atención o sólo durante un juego físico favorito, como el cosquilleo. No es tan fácil.

Asimismo, en otras ocasiones es la inflexibilidad y la falta de variedad de los comportamientos sociales lo que distingue a los niños con autismo de sus iguales. Cassie, por ejemplo, de treinta y dos meses, rebosaba contradicciones. Sus padres estaban preocupados porque, según le habían comentado sus amigas, mostraba signos de autismo, aunque otras veces parecía una típica niña de dos años. Diane, su mamá, había leído que el juego imaginativo está ausente en los niños autistas. Aun así, aseguraba que su Cassie era extraordinariamente imaginativa. Pasaba horas cada día ordenando lápices para formar letras del abecedario y representaba escenas de sus películas favoritas. Sin embargo, su hermana mayor no conseguía implicarla en el juego con muñecas, las cocinitas o los disfraces.

Diane también había oído decir que los niños con autismo no saben comunicarse para obtener lo que desean, pero Cassie lo hacía. Aunque no hablaba mucho, sabía comunicarse. Tomaba de la mano a su mamá y la llevaba hasta la puerta cuando quería ir al parque, y le pedía que le arreglara un juguete si no funcionaba, pero nunca se comunicaba con ella a menos que deseara algo, como, por ejemplo, para atraer su atención para que la mirara, jugara con ella o para enseñarle el bonito dibujo que había hecho.

Por otra parte, Diane también había leído que los niños autistas no eran afectuosos, cuando en realidad su hija estaba loca por su padre. Jugaban a «Corre, corre que te pillo», a luchas simuladas y se reían sin parar. También se encaramaba a su regazo o al de papá cuando estaba cansada y necesitaba cariño, pero cuando empezaban los mimos, mostraba poco interés. Intentaba desasirse de los abrazos y sólo permitía que la tomaran en brazos cortos períodos de tiempo. Era tan frustrante... Cada mañana Diane se despertaba con la esperanza de que aquél sería el día en que su hija se mostraría regular en su forma de actuar para poder saber con certeza si era o no autista.

La lista siguiente de «lo que hay que hacer y lo que no hay que hacer en la detección precoz» resume lo que hemos abordado en esta sección.

Lo que hay que hacer	*Lo que no hay que hacer*
Familiarizarse con los síntomas conductuales que se usan en el diagnóstico del autismo.	Esperar que el pediatra emita un diagnóstico durante una visita rutinaria.
Comprender que la manifestación de los síntomas puede variar de un niño a otro.	Intentar determinar un posible autismo comparando a tu hijo con otros.
Observar las habilidades sociales y de comunicación del niño en diferentes situaciones y con personas diferentes.	Extraer conclusiones porque el pequeño muestra algunos comportamientos o intereses repetitivos.
Hablar con el pediatra y pedirle consejo tan pronto como se sospecha la presencia de síntomas de autismo.	No mencionar al pediatra tu preocupación al detectar un desequilibrio en las habilidades sociales, lúdicas o de comunicación.

SÍNTOMAS DE AUTISMO EN NIÑOS MENORES DE TRES AÑOS

En la última década se han realizado innumerables investigaciones sobre las características del trastorno autista en niños menores de tres años, de manera que nuestro conocimiento en esta área ha aumentado de un modo espectacular. Los estudios se han basado tanto en la información de los padres como en la observación directa de los niños en emplazamientos y situaciones estructurados y naturales. La Figura 2.1 muestra un resumen de los comportamientos sociales, de comunicación y de juego que, según se ha podido comprobar, se manifiestan menos a menudo en los pequeños con autismo que en los niños con un desarrollo típico o con retrasos en el desarrollo.

FIGURA 2.1. Comportamientos menos frecuentes en los niños autistas de dos años.

Social

- *Mirar a los demás durante las interacciones.*
- Llamar la atención de sus padres.
- *Sonreír con propósitos sociales (para compartir su alegría o como respuesta a una sonrisa o elogio).*
- Repetir acciones que provocan la risa y la atención de los demás.
- Intentar complacer a sus padres.
- Mostrar interés en otros niños (observarlos, jugar cerca de ellos o jugar con ellos).

Comunicación

- Gesticular (mover la cabeza para decir «no», saludar con la mano para decir «adiós» o encogerse de hombros) para comunicarse.
- Usar expresiones faciales (sorpresa o disgusto) para comunicarse.
- *Dirigir la atención para compartir su interés en algo (no para pedir algo) señalando o mostrando objetos.*
- *Seguir la dirección de otra persona cuando señala algo.*
- *Responder cuando se le llama por su nombre.*
- Seguir instrucciones simples.

Juego

- Imitar las acciones de otros.
- Jugar con una variedad de juguetes y de formas diferentes.
- Implicarse en el juego funcional, especialmente con muñecas.
- Implicarse en el juego imaginativo.

Nota: Los puntos en cursiva indican comportamientos que también se observan con menor frecuencia en niños menores de veinticuatro meses y diagnosticados más tarde de autismo.

Desequilibrio en la interacción social y reciprocidad

Todos los niños pequeños con autismo muestran desequilibrios en las habilidades de interacción social y de reciprocidad que se manifiestan en sus interacciones con otros niños y también con adultos. Pero incluso los menores de tres años con un desarrollo típico no muestran la misma gama y calidad de comportamiento social que los más mayorcitos. Veamos, pues, qué tipo de interacciones podemos esperar (y que sería poco inteligente no esperar) en niños de desarrollo típico de esta edad comparado con los niños autistas.

Interacción social. Los niños de desarrollo típico menores de tres años muestran interés por sus iguales; les gusta observarlos, jugar cerca de ellos y en ocasiones interactuar con ellos durante cortos espacios de tiempo. Incluso a tempranas edades, tienen un «motor» social que los mueve a buscar la compañía de otros y a experimentar estas interacciones como satisfactorias.

No obstante, ningún pequeño de esta edad tiene una comprensión social suficiente para entablar verdaderos lazos de amistad. No son capaces de entender el concepto de compartir o de lealtad, ambos esenciales para establecer este tipo de vínculos, ni tampoco empatizan con otros o asumen la perspectiva de otro niño ni de cualquier otra persona. Son egocéntricos; el mundo gira a su alrededor y de sus necesidades. No es que sean egoístas, sino que todavía no han alcanzado la etapa de desarrollo cerebral en la que la intuición y el altruismo guían el comportamiento interpersonal. De manera que cuando un niño pega a un compañero de juego, no lo hace con la intención de hacerle daño, ni es capaz de considerar las consecuencias de sus actos, tales como permanecer sentado si lo castigan, perder el tiempo en el parque infantil o aceptar una reprimenda de papá o mamá. Lo hace impulsivamente porque está enojado o quiere algo que tiene otro niño, o quizá incluso porque el otro niño le pegó primero.

Aunque todos los pequeñines son egocéntricos e impulsivos con sus iguales, lo cierto es que a estas edades muestran un interés social y tienen la capacidad de relacionarse con otros niños aunque sólo sea durante breves períodos de tiempo. Sin embargo, el interés en observar o imitar a sus iguales es menor en los niños con autismo, al igual que su impulso social, y es menos probable que experimenten las interacciones interpersonales como divertidas o reconfortantes.

Esta perspectiva egocéntrica del mundo de los pequeños con un desarrollo típico menores de tres años se aplica también a las interacciones con sus padres. Los consideran como una fuente de confort, seguridad y protección, pero no como personas con ideas, deseos y necesidades independientes. Así pues, si tu hijo de dos años tiene una rabieta en el supermercado, no lo hace con la intención de molestarte o avergonzarte, pues en realidad carece de la capacidad de comprender cómo influirá en tus sentimientos. Tal vez quiera un juguete, marcharse o quedarse, o quizá porque este comportamiento le dio resultado la última vez que quiso obtener algo. Los berrinches son comunes y comprensibles en un pequeño de esta edad.

Asimismo, los niños autistas no consideran a sus padres como seres separados con ideas independientes, y a menudo ni siquiera intentan llamar su atención, complacerlos, enojarlos o dejar que hagan cosas por ellos. Suelen estar más concentrados en los objetos de su entorno que en papá y mamá.

Reciprocidad. El *DSM-IV* describe uno de los déficits sociales de los niños autistas como una falta de reciprocidad social o emocional. Reciprocidad se refiere a un intercambio mutuo o de cooperación entre las personas, una relación bidireccional.

¿Cómo expresa reciprocidad un niño típico de dos años? Mediante la participación en juegos de «ida y vuelta» y la imitación interactiva de comportamientos y emociones. Los pequeños se implican en interacciones recíprocas riendo cuando su madre imita sus actos o expresiones faciales e intentando imitar las suyas; participan en parloteos bidireccionales con adultos mucho antes de aprender a hablar o conversar; sonríen cuando sus padres o incluso un desconocido les sonríe, y en ocasiones se muestran alterados cuando mamá deja de sonreír o de mirarlos.

Esta reciprocidad también se manifiesta cuando son un poco mayorcitos y empiezan a participar en juegos simples de regazo, tales como «Cú-cú» y a imitar los movimientos de las manos de sus padres cuando les cantan una canción acompañada de gestos, actividades, todas ellas, divertidas para el niño y sus padres que implican el intercambio de emociones positivas. El placer de papá o mamá estimula un sentimiento de placer en el pequeño, y el de éste estimula la misma respuesta en ellos.

En el caso de los niños con autismo, estas interacciones de ida y vuelta y la consiguiente conexión emocional no parecen ser tan intensas. En efecto, pueden experimentar alegría y places al montar en un columpio, pero es menos probable que lo compartan volviéndose hacia sus padres y sonriéndoles para comunicar su sentimiento de felicidad. Asimismo, también pueden experimentar un sentimiento de logro al resolver un puzzle difícil, pero no suelen mostrarlo a sus padres con una expresión de satisfacción en los ojos. Tampoco se esfuerzan en hacerlos reír ni imitan las acciones de sus iguales para mantener una interacción. En realidad, muchos niños autistas tan pronto juegan como interactúan.

En una ocasión un padre me dijo: «No muestra interés en su hermanita recién nacida. Es como si hubiéramos traído a casa un mueble».

HABLAN LOS PADRES
Habilidades sociales

- Es difícil llamar su atención. Le gusta hacer sus propias cosas.
- No interactúa fácilmente con los desconocidos.
- Es más feliz cuando está solo.
- Parece vivir en su pequeño mundo.
- Lo hace todo a su manera.
- Se da cuenta cuando hay otros niños en la habitación, pero los ignora.

Desequilibrio en el lenguaje y la comunicación

Casi todos los niños con autismo muestran un retraso en el desarrollo del lenguaje hablado. Pero incluso antes de que se manifiesten los primeros signos de retraso en el lenguaje, los niños autistas pueden mostrar retrasos en las habilidades de comunicación que lo preceden, es decir, el uso de formas no verbales de comunicación tales como gestos, contacto visual y expresiones faciales. La Figura 2.2 incluye una lista de etapas de lenguaje y prelenguaje que presentan los niños típicos desde el nacimiento hasta los tres años. A menudo, los pequeños con autismo no alcanzan estas referencias.

Antes de empezar a comunicarse mediante la palabra hablada, los niños con un desarrollo típico buscan formas no verbales para obtener lo que desean. Algunos señalarán su vaso en la encimera cuando tienen sed, y otros tirarán de la mano de papá o mamá y lo llevarán hasta el armario de los juguetes cuando quieren jugar, mientras que otros, en fin, mostrarán los zapatitos cuando desean que los vistan.

Pero los niños con autismo que todavía carecen de lenguaje pueden tener grandes dificultades para comunicar sus necesidades de un modo no verbal. Tal vez lloren, pataleen o salten en lugar de indicar lo que quieren de una forma específica. En ocasiones les resulta más fácil intentar obtener las cosas por sí mismos que comunicar sus necesidades y deseos a los demás. Una madre me contó que su hijo de dos añitos arrastraba una silla por toda la casa. La utilizaba para trepar a los estantes para alcanzar un juguete, por ejemplo, en lugar de buscar la ayuda de sus padres.

Cuando se comunican, los niños autistas es más probable que lo hagan con la finalidad de obtener lo que quieren que con el propósito de compartir su interés o experiencia con alguien. Por ejemplo, pueden pedir ver una película en vídeo tirando de la mano de papá o mamá hasta el televisor, o pedir ayuda para accionar un juguete simplemente apoyando la mano en él, mientras que los pequeños con un desarrollo típico hacen lo mismo pero acompañado de una mirada al adulto. En realidad, en ocasiones se adscribe a los niños con autismo la característica de usar las manos de otras personas como herramientas, como si nada los uniera a ellas.

Aunque pueden dar juguetes a sus padres cuando necesitan ayuda, los niños autistas casi nunca lo sostienen y lo muestran con la intención de compartir esa información con ellos. De un modo similar, aun en el caso de que sean capaces de señalar objetos fuera de su alcance para pedirlos, lo cierto es que no suelen señalarlos para indicar su interés. Así, por ejemplo, nunca señalan la luna en el cielo o un perro en la calle.

Algunos pequeños con autismo desarrollan un cierto lenguaje hablado antes de los tres años de edad, aunque con características poco usuales. Pueden repetir lo que dicen los demás mucho después ·de que sus iguales han superado esta etapa del aprendizaje del lenguaje. Pueden carecer de la flexibilidad lingüística que tienen otros niños y usar la misma palabra con múltiples significados, como por ejemplo el término «De acuerdo» para indicar «Haz esto», «Ayúdame» y «Quiero esto».

Pueden repetir palabras que han oído en otros contextos, como el niño que va hasta la puerta y dice «Fin» para indicar que no quiere estar más allí y desea marcharse. Al igual que sus habilidades prelingüísticas, el lenguaje de los pequeños con autismo suele ser utilizado para obtener cosas de otras personas, pero no para compartir una experiencia o sentimiento con ellas. Otras veces pueden usar palabras sin finalidad social simplemente para oír su sonido, aunque no para comunicarse.

Comportamientos limitados y repetitivos

Los niños típicos de dos años son muy imaginativos. Les encanta hacer volar aviones de juguete, transportar figurillas en coches de juguete de un lugar a otro y cuidar de los peluches y las muñecas abrazándolos y dándoles de comer. No tienen el menor problema transformando una toalla en la capa de Batman o simular estar cocinando una hamburguesa de plástico.

Sin embargo, muchos niños autistas no usan juguetes de formas

FIGURA 2.2. Etapas en el desarrollo del lenguaje.

Las etapas del desarrollo del lenguaje varían de un niño a otro, con o sin autismo. Recuerda pues que esta lista no es más que una directriz general de edades/objetivos.

1 mes
Casi siempre llora para expresar disgusto.
Hace sonidos guturales.
Mira fijamente a sus padres cuando hablan.

2-3 meses
Ahora llora para expresar necesidades (tiene el pañal mojado, hambre, sed, frío, etc.).
Hace grititos y gorjeos.

4-5 meses
Ríe para expresar placer.
Combina sonidos vocálicos y consonánticos, tales como «a-gú».

6-7 meses
Repite sonidos monosilábicos tales como «da», «ta», «mu», di».
«Habla» cuando otros hablan.

8-9 meses
Escucha las palabras que le son familiares.
Empieza a combinar sílabas tales como «papa» y «mama», aunque sin asignarles aún un significado.
Comprende la palabra «no», aunque no la obedece.
Responde a órdenes verbales simples, tales como «dame» o «palmitas».

10-11 meses
Dice y comprende «papá» y «mamá».
Dice y comprende «adiós».
Dice una o dos palabras además de «papá» y «mamá», como «hola», «sí», «no», «ir», etc.
Mueve la cabeza para decir «no».

12-17 meses
Reconoce objetos (botella, muñeca) por su nombre.
Responde a preguntas no verbales simples.
Señala objetos, dibujos y miembros de la familia.
Empieza a usar la entonación para expresar sorpresa, miedo o felicidad.
Intenta imitar palabras simples.

Dice dos o tres palabras para etiquetar a una persona u objeto, aunque con una pronunciación poco clara.

Puede repetir la misma palabra una y mil veces.

18-23 meses

Señala las partes simples del cuerpo, tales como «tripita».

Empieza a combinar palabras tales como «más galletas».

Empieza a usar pronombres tales como «mío».

Dice 8-10 palabras.

2-3 años

Dice alrededor de 40 palabras a los veinticuatro meses.

Usa frases de dos o tres palabras.

Responde a preguntas simples.

Conoce los pronombres «tú», «yo», «él».

Empieza a usar plurales («zapatos», «calcetines»).

Empieza a usar verbos en tiempo pasado («salté»).

A los treinta y seis meses puede usar alrededor de 100 palabras y frases de 3-4 palabras.

HABLAN LOS PADRES
Lenguaje y comunicación

- Alcanza las cosas por sí mismo.
- No me dice lo que quiere.
- Tira de mi mano hacia lo que desea.
- Repite versos y canciones de vídeos pero no sabe que esto es lenguaje.
- Creía que era sordo.
- Siempre está farfullando, pero no usa palabras para comunicarse conmigo.

convencionales, es decir, para lo que han sido diseñados, ni muestran la variedad de actividades imaginativas que sus iguales, sino que pueden utilizarlos de formas repetitivas o simplemente no mostrar el menor interés por ellos. Pueden alinear su colección de coches en el mismo orden una y otra vez, pero sin jugar con ellos como si fueran de verdad. También pueden abrir, cerrar, abrir y cerrar las puertas de un coche de juguete o darle vueltas y más vueltas a las ruedas de un camión, pero nunca arrastrarlo hasta un destino imaginario. Asimismo es posible que pasen largos espacios de tiempo metiendo juguetes en la caja donde se guardan y esparciéndolos de nuevo por el suelo, o no manifestar interés alguno por los juguetes que le han comprado sus padres, prefiriendo jugar con objetos domésticos tales como cuencos Tupperware o incluso las puertas de los armarios de la cocina.

Pero tal y como demuestra el interés de mi hijo por los ventiladores, estas actividades limitadas o repetitivas no son suficientes por sí solas para garantizar un diagnóstico de autismo en niños menores de tres años, y en el supuesto caso de producirse paralelamente a déficits en las habilidades sociales, de comunicación o de ambas, constituyen piezas importantes del conjunto.

HABLAN LOS PADRES
Actividades limitadas

- Juega con todos sus juguetes alineándolos.
- Examina las cosas con detenimiento.
- Olvida todo lo demás cuando algo le interesa.
- Juega a montar y desmontar reiteradamente estructuras con bloques de construcción.
- Le gusta arrojar objetos y mirar cómo caen.
- Es una criatura de hábitos, como tenerlo todo ordenado y en su sitio.
- No presta demasiada atención a los juguetes, pero le fascina explorar los armarios y cajones.

Una historia de detección precoz:
PRIMERA PARTE

Jeff y Judy acudieron a nuestra clínica con Luke, su hijo de veintiocho meses. Empezaron a preocuparse por su comportamiento cuando se dieron cuenta de que a los dieciocho meses no hablaba como lo había hecho su hermana mayor a la misma edad, y que en lugar de querer jugar con otros niños del vecindario pasaba largas horas solo entreteniéndose en su habitación.

Cuando lo consultaron con el pediatra, les recomendó una visita al otorrino para asegurarse de que sus oídos estaban en perfecto estado. ¿Resultado? Oía bien. El pediatra les dijo que los niños pueden desarrollar el lenguaje más lentamente que las niñas, animándolos a esperar hasta el siguiente examen general a los veinticuatro meses para ver si su lenguaje se estaba desarrollando antes de proceder a evaluaciones adicionales.

Mientras esperaban a que algo cambiara, Judy leyó un artículo sobre autismo y empezó a preguntarse si aquélla podía ser la causa de las dificultades de lenguaje y sociales de Luke. Parecía mostrar algunos síntomas.

> Hasta la fecha, Luke es un enigma. Algunas cosas son típicas de un niño de dos años, y otras son incomprensibles. No intenta llamar la atención de su madre dándole o mostrándole cosas como lo había hecho su hermana. La ignora la mayor parte del tiempo a menos que quiera algo, en cuyo caso me lleva de la mano. Por ejemplo, tira de mí hasta el televisor y luego arma un gran alboroto hasta que le muestro la película que desea ver.
>
> A Luke le gusta jugar, pero de nuevo en lo que considero formas inusuales. La mayor parte del tiempo juega solo. Le encanta ver la televisión, sobre todo los anuncios. Creo que eso se debe a que le fascina la música. De vez en cuando se pone en pie de un brinco y aletea las manos mientras mira. También le gusta escribir con un lápiz o un bolígrafo, pero casi nunca toca los lápices de colores, y le encanta sostener objetos finos y largos en cada mano, como palitos de comida oriental. A menudo los coloca delante de los ojos en formas diversas.

Su padre y yo estamos muy preocupados porque nuestro hijo no quiere jugar con nosotros. Es difícil de asumir. En ocasiones, su padre consigue conectar con él haciéndole cosquillas o balanceándolo. A veces se ríe a carcajadas, pero sin que esa risa exprese demasiado hacia nosotros. A Luke le gustan tanto estos juegos que muchas veces intenta comunicarnos su deseo de que lo balanceemos o pone la mano de Jeff en su vientre para que le haga cosquillas. Recientemente ha empezado a jugar a «Ahora te veo, ahora no te veo» conmigo. Esconde la cabeza detrás de una silla y sonríe cuando lo «encuentro». Juega cuando es él quien inicia el juego, pero no cuando se lo sugiero yo.

Creo que mi hijo es bastante inteligente. Sólo tiene dos años, pero hojea libros de cuentos, aunque sin compartir esta actividad. No se sienta jamás en nuestro regazo para que se los leamos. Lo quiero tanto, y me gustaría tanto poder estrecharlo entre mis brazos y cantarle una nana o leerle un cuento... Pero no me deja. ¿Quiere esto decir que tiene un trastorno del desarrollo o que simplemente es un niño independiente?

En la revisión de los veinticuatro meses, las habilidades de lenguaje de Luke no habían mejorado, y el pediatra decidió referirlo a un especialista para realizar una evaluación global del desarrollo. Este proceso se describe detalladamente en el capítulo siguiente, y acompañaremos a Luke y su familia a lo largo del mismo. Pero antes de la primera visita, Judy y Jeff cumplimentaron un Formulario de Observación para Padres que más tarde ayudaría a los clínicos a comprender mejor al niño. En la Figura 2.3 se incluye una copia del formulario, y en la Figura 2.4 un modelo en blanco que puedes utilizar tú cuando llegues al capítulo 3. La finalidad de este formulario es ayudarte a desarrollar una descripción completa y detallada de los comportamientos socio-comunicativos de tu hijo. No es un test, y por lo tanto, no hay «puntuación». Se trata de una herramienta que te permitirá observar mejor el comportamiento del pequeño y de un registro objetivo de tus preocupaciones que ayudarán a los profesionales de asistencia sanitaria del niño a determinar si sería apropiada una evaluación de autismo.

FIGURA 2.3. Formulario de Observación para los padres de Luke.

Instrucciones: Observa a tu hijo durante una semana en diferentes situaciones y con diferentes personas. Evalúa la frecuencia con la que exhibe cada uno de los comportamientos enumerados a continuación, y después de cada punto describe situaciones en las que es más probable y menos probable que el niño manifieste este comportamiento.

	Casi nunca	*En ocasiones*	*A menudo*
1. Cuando sonríes a tu hijo ¿te devuelve la sonrisa?	☐	☑	☐

Con mayor probabilidad: *Si le hago cosquillas o le canto la canción del abecedario.*

Con menor probabilidad: *Si sólo le hablo (a veces ni tan siquiera me mira).*

2. Cuando tu hijo está jugando solo y lo llamas por su nombre, ¿te mira?	☑	☐	☐

Con mayor probabilidad: *Sólo si estoy frente a él o hago un ruido.*

Con menor probabilidad: *Cuando ve la televisión o juega con palitos.*

3. Cuando señalas para mostrarle algo, ¿mira en esa dirección?	☐	☑	☐

Con mayor probabilidad: *Si estoy cerca de él o lo toco, o si es algo que le interesa sobremanera, como pompas de jabón o letras.*

Con menor probabilidad: *Si señalo algo a lo lejos.*

4. Cuando intentas implicarte en las actividades lúdicas de tu hijo, ¿comparte contigo sus juguetes e interactúa contigo?	☐	☑	☐

Con mayor probabilidad: *Si se trata de un juguete que no es uno de sus favoritos, aunque sólo brevemente.*

Con menor probabilidad: *Si lo interrumpo cuando está mirando un libro o jugando con sus palitos.*

FIGURA 2.3. Formulario de Observación para los padres de Luke *[cont.]*.

	Casi nunca	*En ocasiones*	*A menudo*

5. Cuando enseñas a tu hijo
otra forma de jugar con un
juguete, ¿te mira y lo intenta? ☐ ☑ ☐

    Con mayor probabilidad: *Sólo si hace algún sonido o tiene luces.*

    Con menor probabilidad: *Si implica imaginación o juega con muñecas o peluches.*

6. Cuando un familiar adulto
saluda a tu hijo, ¿lo mira? ☐ ☐ ☑

    Con mayor probabilidad: *Si es el abuelo Bill, con el que se siente muy a gusto.*

    Con menos probabilidad: *Si es alguien que no ve a menudo o conoce bien.*

7. Cuando tu hijo se está divirtiendo
con una actividad, ¿te mira y sonríe
para manifestar su alegría? ☐ ☑ ☐

    Con mayor probabilidad: *Durante «Ahora te veo, ahora no te veo» o jugando a las cosquillas, aunque no con regularidad.*

    Con menor probabilidad: *Cuando está viendo la televisión o realizando alguna de sus actividades solitarias favoritas (mirar libros de cuentos, jugar con palitos).*

8. Cuando te ríes por algo que
ha hecho tu hijo, ¿repite la acción
para ver si te ríes de nuevo? ☑ ☐ ☐

    Con mayor probabilidad: *Nunca le he visto hacerlo.*

    Con menor probabilidad: *?*

	Casi nunca	En ocasiones	A menudo

9. ¿Señala o te muestra cosas
para compartir contigo su interés
o excitación?   ☑ ☐ ☐

Con mayor probabilidad: *Lo más aproximado es cuando me da un ju-guete con el que necesita ayuda, pero es para que haga algo por él, pero no para compartir algo conmigo.*

Con menor probabilidad: *?*

10. ¿Intenta que juegues con él
dándote un juguete y
mirándote?   ☐ ☑ ☐

Con mayor probabilidad: *A veces me da un libro o una pelota como si quisiera interactuar, pero cuando lo tengo, se marcha. En cualquier caso, no me mira.*

Con menor probabilidad: *Cuando está entretenido con sus actividades solitarias.*

11. ¿Se acerca a otros niños
e intenta jugar con ellos?   ☐ ☑ ☐

Con mayor probabilidad: *Se acerca a ellos si tienen un juguete que le gusta o están haciendo algo que le gusta, como montar en el tobogán, pero no para interactuar con ellos. En ocasiones se acerca a su hermana para que juegue a «Corre, corre que te pillo» con él.*

Con menor probabilidad: *Cuando hay un grupo nutrido y ruidoso de niños, aunque mantiene la distancia.*

12. ¿Te mira tu hijo cuando
le hablas o juegas con él?   ☐ ☑ ☐

Con mayor probabilidad: *Durante «Ahora te veo, ahora no te veo» o jugando a las cosquillas, o de vez en cuando le canto la canción del abecedario.*

Con menor probabilidad: *Cuando está ocupado en sus actividades lúdi-cas favoritas. Me ignora.*

FIGURA 2.3. Formulario de Observación para los padres de Luke [cont.].

	Casi nunca	En ocasiones	A menudo
13. ¿Juega con juguetes u otros objetos de formas inusuales?	☐	☐	☑

Con mayor probabilidad: *Cuando juega con palitos.*

Con menor probabilidad: *?*

14. ¿Mueve las manos o el cuerpo de formas inusuales?	☐	☐	☑

Con mayor probabilidad: *Cuando está excitado aletea con las manos y salta. También solía girar en círculo, pero ahora ya no.*

Con menor probabilidad: *?*

Nota: Este formulario no está diseñado como una evaluación formal del autismo y no debe utilizarse a tal efecto.

FIGURA 2.4. Formulario de Observación para Padres.

Instrucciones: Observa a tu hijo durante una semana en diferentes situaciones y con diferentes personas. Evalúa la frecuencia con la que exhibe cada uno de los comportamientos enumerados a continuación, y después de cada punto describe situaciones en las que es más probable y menos probable que el niño manifieste este comportamiento.

	Casi nunca	*En ocasiones*	*A menudo*
1. Cuando sonríes a tu hijo ¿te devuelve la sonrisa?	☐	☐	☐

Con mayor probabilidad:

Con menor probabilidad:

2. Cuando tu hijo está jugando solo y lo llamas por su nombre, ¿te mira?	☐	☐	☐

Con mayor probabilidad:

Con menor probabilidad:

3. Cuando señalas para mostrarle algo, ¿mira en esa dirección?	☐	☐	☐

Con mayor probabilidad:

Con menor probabilidad:

4. Cuando intentas implicarte en las actividades lúdicas de tu hijo, ¿comparte contigo sus juguetes e interactúa contigo?	☐	☐	☐

Con mayor probabilidad:

Con menor probabilidad:

FIGURA 2.4. Formulario de Observación para Padres *[continuación]*.

	Casi nunca	*En ocasiones*	*A menudo*
5. Cuando enseñas a tu hijo otra forma de jugar con un juguete, ¿te mira y lo intenta?	☐	☐	☐
Con mayor probabilidad:			
Con menor probabilidad:			
6. Cuando un familiar adulto saluda a tu hijo, ¿lo mira?	☐	☐	☐
Con mayor probabilidad:			
Con menos probabilidad:			
7. Cuando tu hijo se está divirtiendo con una actividad, ¿te mira y sonríe para manifestar su alegría?	☐	☐	☐
Con mayor probabilidad:			
Con menor probabilidad:			
8. Cuando te ríes por algo que ha hecho tu hijo, ¿repite la acción para ver si te ríes de nuevo?	☐	☐	☐
Con mayor probabilidad:			
Con menor probabilidad:			
9. ¿Señala o te muestra cosas para compartir contigo su interés o excitación?	☐	☐	☐
Con mayor probabilidad:			
Con menor probabilidad:			

	Casi nunca	En ocasiones	A menudo
10. ¿Intenta que juegues con él dándote un juguete y mirándote?	☐	☐	☐

Con mayor probabilidad:

Con menor probabilidad:

11. ¿Se acerca a otros niños e intenta jugar con ellos?	☐	☐	☐

Con mayor probabilidad:

Con menor probabilidad:

12. ¿Te mira tu hijo cuando le hablas o juegas con él?	☐	☐	☐

Con mayor probabilidad:

Con menor probabilidad:

13. ¿Juega con juguetes u otros objetos de formas inusuales?	☐	☐	☐

Con mayor probabilidad:

Con menor probabilidad:

14. ¿Mueve las manos o el cuerpo de formas inusuales?	☐	☐	☐

Con mayor probabilidad:

Con menor probabilidad:

Nota: Este formulario no está diseñado como una evaluación formal del autismo y no debe utilizarse a tal efecto.

INTÉNTALO

En el capítulo 3 comprobarás que tus observaciones de la conducta de tu hijo son vitales para determinar un diagnóstico de autismo. El Formulario de Observación para Padres (Figura 2.4) te permitirá observar al niño con objetividad, y a los profesionales de asistencia sanitaria a comprender mejor tus inquietudes. (Antes de empezar a rellenar el formulario, podrías hacer varias fotocopias del modelo en blanco por si las necesitaras para repetir el proceso más adelante.)

PREGUNTAS MÁS FRECUENTES

¿Por qué se diagnostican de autismo más niños que niñas?

Sabemos que los niños varones son por lo menos cuatro veces más propensos que las niñas a desarrollar autismo, pero no la causa. Asimismo, los niños son más propensos que las niñas a mostrar rasgos de comportamiento más moderados referentes a un fenotipo de autismo más amplio. En realidad, el autismo no es sólo un trastorno que muestra este sesgo de género. La dislexia y el trastorno de déficit de atención/hiperactividad también son más comunes en los niños que en las niñas. Sabemos que el cerebro masculino y femenino se desarrolla de formas diferentes y que probablemente algunas de estas diferencias se pueden atribuir a genes en el cromosoma X (las mujeres tienen dos X, y los varones un X y un Y) y a genes relacionados con hormonas sexuales.

Se han realizado muchos estudios genéticos para comprender la razón de estas diferencias sexuales en el autismo, y todos ellos han concluido que no existe un simple mecanismo genético que justifique este fenómeno. Según una interesante teoría del doctor Simon Baron-Cohen, de la Universidad de Cambridge, los niveles prenatales de hormona masculina, la testosterona, puede determinar si un individuo tiene un «cerebro masculino» o un «cerebro femenino» predominante. El cerebro masculino se caracteriza por una tendencia a «sistematizar» (identificar cómo funcionan las cosas), mientras el femenino está caracterizado por una tendencia a «empatizar» (identificar y relacionarse con los sentimientos de los demás). Los individuos con autismo se describen como personas con un «cerebro masculino extremo» a causa de su fuerte impulso inusual a sistematizar y su débil impulso a empatizar. Baron-Cohen cree que la exposición excesiva a la testosterona antes del nacimiento puede contribuir al desarrollo del trastorno autista. En la actualidad está realizado nuevas investigaciones para probar esta teoría.

A mi hijo lo diagnosticaron de autismo a los dos años y ahora que tiene cuatro me han dicho que lo que tiene es un trastorno del lenguaje, no autismo. ¿Lo diagnosticaron mal a los dos años?

Lo más curioso de una intervención precoz es que realmente parece funcionar. Los enfoques que implican enseñar al niño nuevas habilidades y enseñar asimismo a los padres a ayudarlo durante las rutinas diarias pueden ser muy eficaces en la mejora de las interacciones sociales, la comunicación y el comportamiento.

Es posible que a los dos años tu hijo tuviera un trastorno del lenguaje no relacionado con el autismo, pero que combinado con su temperamento pudo conducir a dificultades sociales y conductuales que resultaron en un diagnóstico de autismo. Con el tiempo puede haber aprendido a comunicarse mejor y a regular sus emociones y su comportamiento hasta el punto de que ya no se ajuste a los criterios establecidos para el autismo.

Sin embargo, también es igualmente probable que sus comportamientos a los dos años fueran realmente diagnosticados como autismo y que la intervención que recibió operara un cambio satisfactorio en su proceso de desarrollo. Tal vez aquella intervención social y de comunicación fuera exactamente la que necesitaba y se diera en el momento oportuno para sacar partido de la flexibilidad y «plasticidad» de su joven cerebro. Sabemos que las experiencias influyen en el desarrollo del cerebro, de manera que es ciertamente plausible que ya no reúna los criterios diagnósticos del autismo.

Habida cuenta de la imposibilidad de predecir el futuro, creo sinceramente que es preferible pecar de cautela, proporcionando servicios especializados de autismo a los niños que muestran características de este trastorno a los dos años.

¿Sufren ataques los niños autistas?

Alrededor de uno de cada cuatro niños con autismo puede desarrollar ataques durante la infancia o adolescencia. Los ataques, cuya causa reside en una actividad eléctrica anormal en el cerebro, pueden producir una pérdida de conciencia temporal, convulsiones corporales o movimientos inusuales. Los ataques no son particularmente comunes en los niños autistas menores de tres años, sino que en realidad se dan más a menudo en las últimas etapas de la infancia o en la adolescencia. No obstante, si tu hijo presenta alguno de estos síntomas y es difícil interrumpirlos, es esencial que lo consultes con el pediatra.

¿Es un signo de autismo la hipersensibilidad a los sonidos o al tacto?

Aunque no se menciona específicamente en el *DSM-IV* como síntoma de autismo, los padres de algunos pequeños que sufren este trastorno coinciden en la manifestación de comportamientos inusuales relacionados con uno o más sentidos. En ocasiones parecen ser hipersensibles a estímulos sensoriales, y otras no responden a los mismos. A algunos niños autistas les desagrada que los tomen en brazos y manifiestan una extraordinaria sensibilidad al roce de la ropa en el cuerpo, al tiempo que a otros puede agradarles sobremanera la sensación de presión. Una madre me contó que su hijo «ponía las manos en el dorso de las articulaciones de la rodillas y los codos, o debajo de los cojines del sofá para sentir presión». Algunos niños con autismo parecen ser inconscientes del dolor y no reaccionan ni siquiera cuando se lesionan de gravedad.

Los niños autistas también pueden reaccionar de formas poco habituales a los estímulos auditivos. Algunos no toleran el sonido del trueno, de los motores o de la aspiradora, mientras que otros parecen literalmente sordos ante los sonidos del entorno. Pero en sí mismas, estas diferencias sensoriales no son un signo definitivo de autismo, sino que se producen junto con desequilibrios en las habilidades sociales y de comunicación. Los padres y cuidadores deben identificar los rasgos sensoriales inusuales para contribuir al diagnóstico final.

EL PASO SIGUIENTE

No todo es descorazonador en el ámbito del autismo. Aun en el caso de que el Formulario de Observación para Padres indique un motivo de preocupación, recuerda que el autismo no es un «sí o no», un trastorno blanco o negro, y que desde luego no es un diagnóstico crónico y sin salida, especialmente cuando se detecta a una temprana edad. Así pues, si te inquieta el desarrollo de tu hijo tras haber leído este capítulo y de haber utilizado el formulario, llegada es la hora de dar el difícil pero importante paso siguiente: la evaluación médica.

En el siguiente capítulo verás lo que puedes hacer tú y también los profesionales de asistencia sanitaria para determinar o descartar el autismo.

❊ CAPÍTULO 3 ❊

Diagnóstico precoz

Para muchos padres, llega un día en que no pueden seguir ignorando la sensación de que su hijo no es como los demás. Si eres uno de ellos, habrás intentado hacerlo reír, jugar a «Ahora te veo, ahora no te veo» y decir adiós con la mano, lo habrás estimulado a decir «galleta» y «papá», aunque siempre infructuosamente. Aun así, al igual que otros muchos padres que he conocido en la clínica, podrías tener miedo a aceptar una respuesta a la pregunta «¿Por qué?», temiendo que al hacerlo, no haya vuelta atrás. Comprendo perfectamente tu temor a que si dices en voz alta «Me preocupa que mi hijo pueda tener autismo», la vida no vuelva a ser la misma para ti y para tu familia.

Así es como se sintió Dave durante muchos meses antes de que finalmente aceptara la necesidad de hablar con el pediatra acerca del comportamiento de su hija. «Tenía la esperanza de que Katie se despertaría un día y todo habría cambiado», recuerda Dave. «Era evidente que en su primera infancia era diferente de su hermanito de la misma edad, pero era duro admitir mis preocupaciones en voz alta. De algún modo creía que si no lo decía, no existía.»

Dave reconoce que si su esposa no hubiera sido tan insistente acerca de su inquietud, Katie no hubiera podido gozar de un diagnóstico precoz de autismo, y afortunadamente, de una intervención precoz. Dice Sue, la madre de Katie:

> En ocasiones Dave y yo discutíamos sobre el comportamiento de Katie. Él intentaba justificar con mil excusas mis preocupaciones, y tengo que confesar que a menudo quería creer que tenía razón. Tal vez la niña fuera simplemente tímida. Tal vez fuera excepcionalmente in-

teligente y de ahí que se concentrara tanto en las cosas. Quizá Katie era uno de aquellos niños que no hablaban en la edad esperada. Tal vez, tal vez, tal vez. Pero cuando a los veinticuatro meses seguía sin hablar y me di cuenta de que muchos de sus comportamientos no parecían correctos en su desarrollo, no pude esperar más. No quería enfadarme con mi marido, pero tampoco deseaba ignorar la recomendación del pediatra de realizarle una evaluación global del desarrollo. Aunque en lo más profundo de mí no quería dar ese paso, tampoco estaba dispuesta a que mis temores interfirieran en las necesidades de mi hija.

Si crees que tu hijo tiene retrasos en su desarrollo pero te preocupa dar el paso siguiente, te comprendo, pero te animo a hacerlo. Espero que después de leer este capítulo te sientas más cómodo acerca de lo que deberías esperar del proceso de diagnóstico, y confiado en que dispones de la información suficiente para seguir adelante y facilitar la evaluación que tanto necesita.

EN LA CONSULTA DEL PEDIATRA

Su tu hijo muestra alguno de los síntomas descritos en el capítulo 2, el primer paso en el proceso de diagnóstico consiste en comentar tus preocupaciones con el pediatra o el médico de familia, aunque a los efectos de este libro me referiré a él como pediatra. Como responsable de los primeros cuidados de tu hijo, el pediatra coordinará sus necesidades sanitarias, incluyendo el análisis de tus inquietudes, el descarte de causas médicas a los problemas, la remisión a otros especialistas para su examen y la búsqueda de los servicios más apropiados para el niño.

Si tu hijo es muy pequeñín, menor de tres años por ejemplo, deberás ser tú quien sugiera la cuestión del autismo al pediatra para aprovechar los beneficios de una detección e intervención precoces. En ocasiones los pediatras pueden mostrarse tan vacilantes como los propios padres ante la posibilidad de iniciar el proceso de evaluación. Cuando los retrasos en el habla son evidentes, algunos pediatras recomiendan tener paciencia y esperar a que el desarrollo del niño siga su curso, un consejo que puede ser o no acertado. Asimismo, dado que el término «autismo» lleva una carga emocional tan extraordinaria, los pediatras pueden dudar a la hora de sugerir a los padres esta alternativa. No quieren perturban el entorno familiar para luego comprobar que el pequeño sigue simplemente su propia curva de desarrollo, que es extremadamente tímido o que sufre un trastorno auditivo tratable.

Tenlo en cuenta si tu pediatra no menciona la palabra «autismo» a pesar de hacerle preguntas acerca del desarrollo retrasado de tu hijo. Este silencio ha hecho que muchos padres vuelvan a casa después de una revisión general del niño e informen a su pareja: «Le comenté al doctor el retraso en el habla y sus comportamientos raros, pero no dijo nada de autismo. Así pues, creo que no hay de qué preocuparse».

Si después de haber leído los capítulos 1 y 2 te inquieta el desarrollo de tu hijo y el pediatra no parece mostrarse especialmente preocupado, no adoptes un enfoque pasivo. Sé valiente y sé tú quien pronuncie la palabra «autismo» en voz alta. Después la cuestión se podrá discutir objetivamente y decidir, tú y el pediatra, cuál debería ser el siguiente paso.

Respira hondo y sigue leyendo. En las secciones siguientes aprenderás lo que debes esperar si dices: «Me preocupa que mi hijo sea autista».

El Formulario de Observación para Padres

El Formulario de Observación para Padres (Figura 2.4, capítulo 2) puede ser una buena forma de exponer tus preocupaciones al pediatra en el caso de que no haya mencionado la posibilidad de autismo.

Dada la brevedad del tiempo asignado a las visitas de revisión, es posible que el pediatra no pueda leer a conciencia el formulario y analizar tus respuestas in situ, pero sí puede utilizarlo para describir tus observaciones y preocupaciones, leyendo algunos de los ejemplos que has anotado.

La mayoría de los pediatras no diagnosticarán un trastorno en el desarrollo (a menos que se hayan especializado en pediatría del desarrollo), pero deberían ser capaces de reconocer los síntomas y referir a un niño al especialista apropiado para una evaluación más profunda. Muchas organizaciones profesionales, incluyendo la Academia Americana de Pediatría, disponen de información suficiente para la identificación precoz del autismo y proporcionan directrices relativas a cuándo se debería referir a un niño para una evaluación más amplia. La Academia Americana de Neurología, por ejemplo, enumera las siguientes «banderas rojas» que requieren una remisión inmediata.

Banderas rojas para una evaluación inmediata

- No parlotear a los doce meses.
- No gesticular a los doce meses.
- No decir palabras a los dieciséis meses.
- No formar frases de dos palabras espontáneamente a los veinticuatro meses.
- Pérdida de lenguaje o habilidades sociales a cualquier edad.

El médico proactivo

Si has señalado algunos motivos de preocupación en el Formulario de Observación para Padres, el pediatra puede adoptar medidas inmediatamente, sabedor de que una detección precoz es crucial para el proceso de desarrollo de tu hijo. La forma exacta de proceder variará de un médico a otro, pero lo que sigue a continuación es una visión general de algunos pasos típicos que puedes esperar al iniciar el proceso de evaluación.

Primer paso: Instrumentos de análisis. Un enfoque que puede adoptar tu pediatra es recurrir a un instrumento de análisis para evaluar los comportamientos en cuestión. Los resultados lo ayudarán a determinar mejor el curso de la acción.

Se han desarrollado múltiples instrumentos de análisis para identificar a niños con riesgo de trastornos del desarrollo. Estas medidas no ofrecen un diagnóstico, pero están diseñadas para que un resultado «positivo» en el análisis sugiera la necesidad de una evaluación ulterior. La ventaja de los instrumentos de análisis es que proporcionan un modo más objetivo y estandarizado de examinar las preocupaciones, comparado con las impresiones subjetivas del pediatra durante una breve visita en su consulta. Los instrumentos de análisis se han desarrollado comparando los informes u observaciones conductuales de niños que presentan determinados trastornos del desarrollo con los demás, lo cual permite determinar si el resultado de un niño es más similar a los de niños con o sin el trastorno.

Hay varios tipos de instrumentos de análisis. Algunos son generales, de amplio espectro, destinados a rastrear retrasos del desarrollo en el ámbito de una amplia gama de áreas (lenguaje, habilidades motoras y de resolución de problemas). Otros son específicos del autismo y se centran en la identificación de niños de riesgo en relación a este trastorno específico. Algunos se basan en informes paternos y otros en observaciones de las interacciones con el pequeño (Tabla 3.1).

TABLA 3.1. Ejemplos de medidas de análisis de niños con sospecha de trastornos del desarrollo.

	Medidas basadas en informes paternos	*Medidas interactivas*
Amplio espectro	Evaluación Paterna del Estado del Desarrollo (EPED)	Inventario de Desarrollo Battelle (IDB)
	Cuestionario de Edades y Etapas (CEE)	Evaluación del Desarrollo Infantil (EDI)
Específico para autismo	Formulario para Autismo en los Niños (FAN)[a]	Formulario para Autismo en los Niños (FAN)[a]
	Formulario Modificado para Autismo en los Niños (FMAN)	Instrumento de Análisis para Autismo en Niños de 2 años (IAAN2)
	Test-II de Análisis de Trastornos Extendidos del Desarrollo (ATED-T-II)	

[a] El FAN se basa en los informes paternos y las observaciones clínicas.

En el contexto de una visita ambulatoria, la mayoría de los pediatras se inclinan por el uso de medidas de análisis a partir de informes paternos, ya que se pueden completar y puntuar más deprisa. Uno de estos instrumentos es el llamado Formulario Modificado para Autismo en los Niños, o FMAN, que fue desarrollado para el test de niños de veinticuatro meses. La pauta de respuestas determina si el pequeño presenta o no riesgo de autismo. En el Apéndice B encontrarás un modelo del FMAN y las instrucciones para la puntuación. Si decides cumplimentarlo, te sugiero dos cosas muy importantes: 1) no consultes el sistema de puntuación antes de completar las preguntas; de este modo, tus respuestas serán más objetivas; y 2) que no cunda el pánico si tu hijo cae en la categoría «de riesgo». Veamos por qué:

Los instrumentos de análisis están diseñados para identificar a todos los niños que podrían tener un riesgo de autismo, incluyendo en consecuencia a niños de riesgo cuando en realidad no han desarrollado este trastorno («falsos positivos»). A esta temprana etapa en el proceso de identificación es preferible pecar por exceso que por defecto, omitiendo niños que realmente lo tienen («falsos negativos»). Así pues, podemos esperar que algunos pequeños que han sido identificados de riesgo para el autismo sobre la base del FMAN se demostrará finalmente que no lo han desarrollado durante la evaluación posterior. Tal vez no se los diagnostique en el seguimiento o reciban un diagnóstico diferente, como por ejemplo un retraso en el lenguaje. Dado que los instrumentos de análisis no son infalibles, también cabe la posibilidad de que algunos niños, habitualmente con síntomas más moderados, que sean identificados como no de riesgo cuando en realidad tienen autismo. De manera que si la puntuación de tu hijo no indica riesgo pero aun así sigues preocupado, sigue siendo una buena idea realizar una evaluación completa.

Quizá te preguntes en qué se diferencian el Formulario de Observación para Padres y el FMAN. La finalidad del primero consiste en guiar tus observaciones de tu hijo y recopilar información importante acerca de su desarrollo social y de comunicación para discutirlo posteriormente con el pediatra y otros especialistas durante el proceso de evaluación. Es, pues, descriptivo. No hay respuestas correctas o incorrectas ni puntuaciones que determinen el estado del niño. El Formulario de Observación para Padres te ayuda a describir los comportamientos que te preocupan y las situaciones en los que se producen. Por el contrario, el FMAN ofrece un resultado que indica si el niño es o no de riesgo. Por lo tanto, los dos instrumentos proporcionan tipos de información muy diferentes, aunque complementarios, para los padres preocupados por sus hijos.

Segundo paso: Obtención de evaluaciones médicas. Como respuesta a las inquietudes paternas, los resultados positivos de análisis o ambos, el pediatra explorará a continuación las razones médicas que podrían justificar los retrasos o problemas del desarrollo. Por ejemplo, puede evaluar la posibilidad de intoxicación por plomo, sobre todo si se ha detectado que el niño tiene el hábito de ingerir no consumibles y ha pasado tiempo en viejos edificios que puedan contener pintura de base de plomo. Asimismo, el pequeño puede ser remitido a un otorrino para descartar un problema auditivo. Aunque estés ansioso por acelerar el proceso y pasar a la evaluación de un posible autismo, en estas primeras etapas el pediatra se está asegurando de que no existen otras causas posibles del retraso del desarrollo de tu hijo, una preocupación muy importante por cierto (véase Tabla 3.2; ejemplos de evaluaciones que puede recomendar el pediatra).

Teniendo en cuenta que los retrasos del lenguaje constituyen con frecuencia una de las primeras preocupaciones, es probable que el pediatra también solicite una evaluación de habla-lenguaje, y si ésta revela un retraso o trastorno en su comprensión o uso, el logopeda puede recomendar una terapia del habla, lo cual no es una mala idea, aunque algunos padres acaban considerando esta recomendación como el único curso de la acción, cuando en realidad puede no ser suficiente. Si tu hijo tiene retrasos de lenguaje además de desequilibrios sociales o conductuales, se debería efectuar una evaluación de autismo.

En algunos casos los pediatras pueden referir al niño para una evaluación genética o neurológica. Son los siguientes:

TABLA 3.2. Ejemplos de evaluaciones profesionales que podrían ser recomendables.

Profesional	Tipo de evaluación	Finalidad de la evaluación
Otorrino	Evaluación auditiva	Descartar trastornos auditivos como causa del retraso del lenguaje.
Logopeda	Evaluación habla-lenguaje-comunicación	Descartar defectos físicos en la boca y otras estructuras orales como causa del retraso del lenguaje.
		Identificar la presencia, tipo y alcance del trastorno del habla, lenguaje y comunicación.
Psicólogo	Evaluación cognitiva y de desarrollo	Evaluar el nivel de funcionamiento cognitivo del niño.
		Identificar los puntos fuertes y puntos débiles del niño en diferentes áreas.
	Evaluación de diagnóstico	Determinar si los comportamientos del niño se ajustan a un diagnóstico del *DSM*.
Genetista	Test genético y metabólico (hemograma)	Descartar trastornos genéticos (como el síndrome X frágil) o metabólicos (tales como PKU) como causas de retrasos en el desarrollo y síntomas conductuales.
Neurólogo	Evaluación neurológica; incluye examen físico, EEG, etcétera.	Descartar la presencia de un trastorno neurológico progresivo en caso de regresión.
		Descartar la presencia de un trastorno de ataque.

1. Existe un historial familiar de trastornos del desarrollo, tales como retraso mental, o trastornos genéticos asociados al autismo, como por ejemplo el síndrome X frágil.
2. El niño muestra una pauta de regresión conductual que puede indicar un trastorno metabólico, como en el caso de errores congénitos en el metabolismo de los aminoácidos.
3. El pequeño tiene rasgos físicos inusuales en la forma o el tamaño (dismorfia) o manifiesta síntomas médicos o de comportamiento que podrían estar relacionados con un trastorno genético conocido.

El pediatra puede recomendar una evaluación neurológica si el niño evidencia 1) una regresión conductual o pérdida de habilidades, 2) comportamientos que sugieran la posibilidad de ataques y 3) un trastorno en las pautas de sueño que puedan tener una causa médica, o una combinación de los tres.

Tercer paso: Remisión a un Programa de Intervención Precoz. En lugar de referir a los niños directamente para una evaluación de habla-lenguaje o de diagnóstico, algunos pediatras pueden optar por un enfoque alternativo al proceso de remisión. Después de la evaluación médica de rigor, el pediatra puede referirte directamente a un programa de servicio de intervención precoz de tu lugar de residencia. Este tipo de servicios son muy frecuentes en Estados Unidos, donde la ley exige a los estados disponer de una red específica para la identificación de niños con minusvalías desde el nacimiento hasta los treinta y cinco meses de edad.

Este sistema asistencial puede resultar extremadamente útil para los padres, pues ofrece una coordinación de los servicios, proporciona referencias para evaluaciones e intervención precoz, y cubre una parte de los costes. Mediante este programa, las familias norteamericanas son asignadas a un coordinador del servicio, que se asegura de que se realicen las evaluaciones e intervenciones que necesita cada niño por lo menos hasta la edad de tres años. Próxima esta edad, el coordinador remite a los padres a otras agencias, a menudo escuelas públicas, para un posterior seguimiento.

Observar y esperar

Algunos médicos siguen prefiriendo el enfoque «observar y esperar» con la esperanza de que acaben desarrollando sus habilidades. Antes de que se comprendieran las ventajas de una intervención precoz, éste era un protocolo estándar. En realidad, un estudio descubrió que de mil trescientas familias encuestadas en 1997, la edad media del diagnóstico de autismo era de seis años, a pesar del hecho de que la mayoría de los padres ya habían observado que algo andaba mal cuando su hijo tenía dieciocho meses y recabado una opinión médica a los dos años de edad.[3]

Afortunadamente, la detección precoz es mucho más común actualmente, aunque no todos los pediatras se muestran predispuestos a remitir a los niños antes de los tres o cuatro años. En tal caso, puedes mostrarte proactivo y decirle a tu pediatra que quieres seguir adelante con una evaluación por un especialista.

Insiste. Es tu hijo. Haz cuanto esté en tus manos para conseguir el diagnóstico definitivo lo antes posible. Si has llegado hasta aquí en la lectura de este libro, ya sabrás que es urgente obtener una respuesta definitiva, y que sentarse a «observar» hasta el año siguiente o tal vez dos no es precisamente tal respuesta.

Cuando los padres insisten, la mayoría de los médicos acaban cursando la remisión, pero si tu pediatra sigue mostrándose reacio, todavía no has agotado todas las posibilidades. Ni que decir tiene que es preferible trabajar en equipo con los profesionales médicos de tu hijo, pero si no es este el caso, puedes actuar sin ellos. Cambia inmediatamente de pediatra o dirígete a una consulta privada.

CÓMO APROVECHAR
LAS EVALUACIONES DE DIAGNÓSTICO

Las evaluaciones de diagnóstico se pueden realizar en diferentes lugares y mediante distintos tipos y combinaciones de profesionales clínicos. Los más habituales son la consulta médica o clínicos de diagnóstico afiliados a universidades o centros médicos. Independientemente del emplazamiento, el objetivo de esta remisión es invariable: descartar otros trastornos del desarrollo cuyos síntomas se confunden a menudo con los del autismo e identificar detenidamente los que podrían apuntar específicamente a este trastorno.

El diagnóstico debería efectuarlo un profesional formado en el uso del *DSM-IV*, en la mayoría de los casos un psicólogo infantil, psiquiatra infantil o pediatra especializado en desarrollo. En ocasiones el diagnóstico lo realiza un solo clínico, y en otras se efectúa en un contexto multidisciplinario. Los equipos multidisciplinarios suelen estar en centros médicos, incluyendo psicólogos, pediatras especializados en desarrollo, logopedas, asistentes sociales, terapeutas ocupacionales y terapeutas físicos.

Aunque es tentador y con frecuencia ventajoso que todas las diferentes evaluaciones se realicen en una sola visita, cada vez es más difícil a causa de las limitaciones establecidas por los índices de reembolso de costes del sistema de asistencia sanitaria. La intervención de clínicos multidisciplinarios es realmente cara, y el reembolso de las compañías aseguradoras casi nunca cubre los gastos. De ahí que haya que ir de un especialista a otro, lo que supone una mayor inversión de tiempo y un enfoque compartimentado.

Dado que el autismo es un trastorno muy complejo y es difícil de diagnosticar en los niños pequeños, es fundamental que encuentres profesionales con experiencia en el autismo y sus manifestaciones a estas edades. Tu pediatra o el coordinador del servicio puede recomendarte un clínico específico, aunque deberías informarte por diferentes canales antes de programar una cita.

Si tienes un seguro médico, se supone que deberá evaluar a tu hijo uno de los médicos cuyo nombre aparece en el directorio que te ha facilitado la compañía aseguradora al cumplimentar el contrato. Aunque puede ser importante encontrar un doctor que participe en tu plan de asistencia sanitaria, no es el momento de elegir un nombre al azar en la Web de la compañía. Con el directorio en mano, infórmate lo suficiente como para localizar a los más expertos.

HABLAN LOS PADRES
La evaluación

- Empezamos el proceso evaluando una posible pérdida auditiva y retrasos de comunicación cuando nuestro hijo tenía dieciocho meses. La palabra temida, «autismo», no tardó en aparecer, y luego un profundo pesar. A continuación, negarlo, buscando personas que me dijeran que NO era autista, manteniéndome alejada de mamás de niños autistas que me aconsejaban una evaluación de diagnóstico. Las cosas cambiaron de pronto cuando un terapeuta me dijo: «Y qué si es autista? ¿Qué cambiará en tu hijo este término? Es quien es y tiene sus necesidades. Lo conoces mejor que nadie en el mundo. Además, con el diagnóstico tendrás muchas más oportunidades de ayudarlo que sin él». Desde entonces nunca más echamos la vista atrás; hemos contraatacado con una furia inusitada y está dando sus frutos (madre de un niño de tres años).
- Transcurrieron seis meses entre que empecé a sospechar el autismo y el diagnóstico de mi hijo. Mis sentimientos eran muy diversos: impaciencia, tristeza, aceptación y sobre todo una curiosidad por el autismo que me impulsaba a saber más acerca del mismo (madre de un niño de veintiséis meses).
- No me había dado cuenta de lo retrasado que andaba mi hijo hasta que me dieron los resultados de aquellos tests. Ojalá hubiera sabido antes que el autismo es tratable y que los síntomas varían enormemente en cada individuo (padre de un niño de cuatro años diagnosticado a los tres y medio).

La referencia personal de un amigo o maestro de preescolar siempre es interesante, aunque a falta de recomendación, puedes dirigirte al Colegio de Médicos de tu área de residencia y solicitar información sobre los profesionales especializados que necesitas.

Hablar con otros padres que han estado en tu misma situación puede ser muy útil al principio del proceso de evaluación y diagnóstico. Ni que decir tiene que si lo haces deberás tener en cuenta que un padre puede haber tenido una experiencia muy positiva con el mismo clínico que a otro le ha disgustado. Aun así, una recomendación personal constituye por lo menos un buen punto de partida.

Encontrar a un profesional clínico con una dilatada experiencia en el tratamiento de niños con autismo no siempre es fácil, en particular si vives en una zona rural. En tal caso, merece la pena dedicar el tiempo necesario a buscar en la ciudad más próxima donde haya un gran centro médico. Será más probable que puedas localizar a profesionales especializados en este trastorno. Por desgracia, algunos niños no reciben la ayuda que necesitan porque sus padres confían en clínicos locales que, aunque bien intencionados y ciertamente expertos en su campo, no están al día en los últimos recursos en material de diagnóstico y asistencia del autismo. En nuestra clínica de diagnóstico en Nashville, Tennessee, vemos a muchas familias de otras partes del estado y también de los estados más próximos. Estos padres saben que conectar con profesionales adiestrados y experimentados en el trabajo con niños autistas puede ser esencial para la calidad de vida de sus hijos en el futuro.

Cuando solicites una primera visita, hay una pregunta importante: «Estoy buscando un experto en el diagnóstico del autismo en niños pequeños. ¿Podría hablarme de las cualificaciones del doctor X en este campo?». La respuesta te ayudará a elegir el clínico más apropiado para que evalúe a tu hijo.

A continuación he resumido los pasos que puedes seguir para asegurarte de que tu hijo está en manos de profesionales acostumbrados a trabajar con niños y experimentados en niños autistas:

- Si tienes un seguro médico, consulta el directorio de clínicos.
- Pide a tu pediatra, a otros padres, al maestro de tu hijo o al Colegio de Médicos que te recomienden profesionales especializados en niños con autismo.
- Ponte en contacto con clínicos potenciales y pregúntales cuál es su nivel académico y experiencia en el diagnóstico del autismo en niños pequeños.

LO QUE DEBES ESPERAR

Cuando hayas encontrado un profesional experimentado y programes una primera visita, habrás dado un paso de gigante hacia el gran objetivo de obtener una respuesta a esa difícil pregunta: «¿Es autista mi hijo?».

Para sacar el máximo partido de la visita, reúne toda la información que has recopilado hasta ahora, incluyendo los formularios de análisis que hayas cumplimentado y los informes de evaluación que te hayan entregado, como, por ejemplo, el Formulario de Observación para Padres, el FMAN, evaluaciones audiológicas y de habla-lenguaje, y cualesquiera otros análisis realizados. A veces los clínicos o los centros de evaluación de diagnóstico te pedirán esta información de antemano. Estas evaluaciones previas ayudarán a los profesionales no sólo a determinar los tests más apropiados a efectuar, sino también a interpretar sus resultados a la luz de las conclusiones previas.

Los procedimientos exactos que se utilizan durante la evaluación de diagnóstico variarán de un clínico a otro y de un centro a otro, pero existen ciertas similitudes que pueden ayudarte a comprender mejor el proceso.

- Debes saber ante todo que la evaluación puede tardar varias horas. Es lenta y minuciosa. Consta de múltiples etapas, y el niño dispondrá de frecuentes pausas para descansar. Puede ser útil llevar sus juguetes favoritos, tentempiés u objetos de confort, tales como su almohada o un peluche. Cuando programes la visita, pregunta cuánto suelen durar las evaluaciones para hacerte una idea y estar preparado.
- Casi con toda seguridad, tu hijo no repetirá durante la evaluación todo cuanto hace en casa. Es natural, y los profesionales con experiencia lo saben. De ahí que te formulen a ti muchas preguntas acerca de sus comportamientos típicos en situaciones cotidianas. Esta irregularidad en la conducta del niño responde a diferentes razones. Una es que el centro médico no es un lugar familiar para

él, y los niños pequeños no siempre se manifiestan como son en entornos desconocidos. Otra razón es que los tests estandarizados requieren que las instrucciones o preguntas se presenten de una forma específica, que puede ser diferente del modo en el que habitualmente dices o haces las cosas en casa. Por ejemplo, el niño puede estar acostumbrado a la instrucción «Enséñame el perro», pero el clínico puede decir: «Señálame el perro», o tal vez le pidan que nombre los colores de una ilustración en un libro en lugar de etiquetar los de las piezas de un puzzle como hace en casa.

- Distintos profesionales pueden visitar a tu hijo durante la evaluación, sobre todo si se realiza en un centro médico, lo cual puede resultar un poco agobiante. En los centros hospitalarios es posible que de algunas pruebas se ocupen médicos residentes o incluso estudiantes (estudiantes de Medicina, estudiantes graduados en Psicología Clínica, internos o pediatras). No te preocupes si es así. Los estudiantes trabajan siempre bajo la supervisión de profesionales licenciados e interpretan los resultados en colaboración con ellos. En estos lugares es fácil que haya también otros observadores durante la evaluación, tales como alumnos de últimos cursos de psicología, psiquiatría o pediatría que aún no están preparados para realizarla por sí solos.

- Es probable que no recibas los resultados de la evaluación en el mismo día. Cada centro tiene sus propios procedimientos. Pregúntalo cuando programes la visita para no llevarte un desengaño si tienes que esperar algunos días. En realidad, no deberías tener que esperar más de una semana para obtener el comentario verbal de los resultados, aunque el informe escrito puede tardar más.

- Es importante conocer que para determinar el diagnóstico se utilizarán diferentes fuentes de información. Asimismo, para revisar evaluaciones anteriores de otros cuidadores o servicios asistenciales, los clínicos también usarán información de los padres, de tests estandarizados y de las observaciones realizadas in situ. Todos estos componentes del proceso de evaluación se examinan en este capítulo.

HABLAN LOS PADRES
El diagnóstico de autismo

- Mi preocupación por el desarrollo de mi hijo se produjo por etapas. A los seis meses empezamos a notar ciertas anomalías, y el pediatra realizó muchísimos exámenes físicos en busca de posibles trastornos digestivos, auditivos, etc. Luego, cuando empezó a gatear, pareció mejorar un poco, lo cual nos tranquilizó. Pero nos preocupamos de nuevo poco después de su primer aniversario. Nos preguntábamos si quien realmente tenía el problema era él o éramos nosotros. Le diagnosticaron autismo a los dos años, de manera que no transcurrió demasiado tiempo entre aquella primera «bandera roja» de alerta y el diagnóstico (alrededor de seis meses). Nos alivió saber finalmente lo que le ocurría a nuestro hijo y que no era culpa mía ni estaba loca, y lo más importante, que se podían hacer muchas cosas para ayudarlo. Cuando nos dieron el diagnóstico, me sentí aliviada. Conozco a muchos padres que se sienten aterrados y niegan los hechos cuando oyen «autismo», pero personalmente preferí ceñirme a la realidad y dejar a un lado la imaginación. Me repetía: «No soy una mujer impaciente, intolerante y egoísta. Mi hijo simplemente es autista» (madre de un niño de cinco años diagnosticado a los dos).

- Lo más útil del proceso de diagnóstico fue ser capaz de observar y participar. Respiré feliz. Ni estaba loca ni veía cosas raras ni eran imaginaciones mías. Me hicieron preguntas sobre innumerables cosas en las que ya había reparado en casa pero que yo sola no sabía interpretar, tales como hacer rodar coches a nivel de los ojos, alinear juguetes sin un juego de simulación «normal», girar en círculo, hacer girar todo cuanto tenía a su alcance, olerlo todo, etc. Me tranquilizaba saber que podía responder a todas ellas y ayudar. Pues sí, no voy a negarlo, el día en que me dieron el diagnóstico definitivo fue complicado. Lo habíamos esperado, pero supongo que nunca estás realmente preparado para este tipo de cosas. Pero una vez más, sabíamos que el diagnóstico era un paso esencial para ayudar al niño (madre de un niño de tres años).

Entrevista con los padres

La entrevista con los padres suele empezar con una descripción de tus preocupaciones. ¿Qué ha propiciado la evaluación de diagnóstico? ¿Por qué ahora? ¿Qué comportamientos parecían ser coincidentes o no con lo que has leído acerca del autismo?

Es tu oportunidad para explicar detalladamente lo que te preocupa. Dado que el autismo no se puede diagnosticar mediante un test médico objetivo, tus observaciones de los comportamientos y desarrollo de tu hijo son cruciales en este proceso. De nuevo el Formulario de Observación para Padres puede resultar muy útil para pormenorizar las conductas del pequeño y expresar tus preocupaciones. El clínico se centrará en los comportamientos específicos en las áreas de desarrollo social y de comunicación, y en actividades repetitivas y limitadas. Es posible que opte por una entrevista estructurada, como la Entrevista de Autismo para Padres[4] o la Entrevista Revisada de Diagnóstico de Autismo[5] para recopilar la información relevante .

Durante la entrevista también te preguntarán por el historial médico de tu hijo, como, por ejemplo, si hubo complicaciones en el parto, si ha tenido enfermedades importantes o ha estado hospitalizado, si es alérgico o está tomando alguna medicación. El clínico querrá saber cuándo se sentó por primera vez, a qué edad empezó a caminar y dijo su primera palabra, además de comportamientos relacionados con los hábitos de alimentación, sueño y de uso del inodoro. Algunos profesionales utilizan una medida estandarizada como las Escalas Vineland de Comportamiento Adaptado[6] para reunir información sobre el grado de independencia del niño y de sus habilidades durante las actividades diarias en casa y en el entorno social. Otras preguntas se centrarán en el historial médico familiar, de desarrollo o de trastornos psiquiátricos. Si tienes información escrita al respecto, facilítasela. Es difícil recordar todos los detalles y las fechas bajo el estado de estrés mental propio de esta primera visita.

TEST COGNITIVO

La evaluación cognitiva o del desarrollo suele formar parte del proceso de diagnóstico. Su finalidad consiste en determinar el grado de desarrollo cognitivo o intelectual del pequeño. Los resultados de estas pruebas son importantes por diversas razones. En primer lugar, proporcionan información sobre los puntos fuertes y puntos débiles del niño, lo cual puede ser útil para identificar áreas de intervención necesaria. En segundo lugar, facilitan información que se puede usar en el diagnóstico para descartar otros trastornos que tienen características en común con el autismo.

Dos de los tests cognitivos más utilizados en niños menores de tres años son las Escalas Bayley de Desarrollo Infantil-II[7] y las Escalas Mullen de Aprendizaje Precoz[8], en los que se compara la funcionalidad del niño con la de una muestra mucho mayor de niños de la misma edad. Luego, su rendimiento relativo respecto a sus iguales se transforma en un resultado estándar. A menudo los resultados estándar reciben diferentes nombres dependiendo del test, y la gama de tests considerados como de «término medio» también pueden diferir. Por ejemplo, en el Bayley-II y el resultado compuesto en el Mullen, los resultados estándar entre 85 y 115 se consideran incluidos en el rango medio amplio. Sin embargo, en los subtests individuales en el Mullen, los resultados estándar se sitúan entre 40 y 60. Los resultados inferiores a estos rangos están por debajo de la media, y los superiores, por encima de la media. De estas evaluaciones también se pueden derivar resultados de edad equivalente, que indican el nivel de edad aproximado en el que el niño está funcionando. También se conocen como resultados de «edad mental».

Las evaluaciones cognitivas se subdividen a menudo en diferentes áreas de habilidad. El Bayley-II presenta dos resultados separados: uno relativo al desarrollo mental y otro al desarrollo físico. El Mullen desarrolla cinco resultados de subtest diferentes en las áreas de las habilidades motoras amplias (movimiento y coordinación de los músculos grandes, como sujetar pequeños objetos o pegar etiquetas en un mural), habilidades motoras de precisión (emparejar, clasificar y puzzles), comprensión del lenguaje (seguir instrucciones simples, señalar los objetos nombrados) y expresión hablada (uso de palabras y gesticulación para comunicarse). Es importante destacar que habida cuenta de que cada tipo de evaluación cognitiva usa diferentes factores para analizar ámbitos de desarrollo similares, no es infrecuente que los niños obtengan diferentes resultados en diferentes evaluaciones.

Personalmente suelo aconsejar a los padres de niños pequeños con autismo que no hagan un énfasis excesivo en los resultados cognitivos específicos, pues simplemente dan una idea general de cómo está funcionando el niño en ese momento concreto y en ese test particular. Pero los resultados cognitivos de niños menores de tres años no tienen por qué ser necesariamente estables en el tiempo, sobre todo en niños pequeños autistas.

Aun así, las evaluaciones cognitivas proporcionan información esencial que nos ayuda a distinguir entre niños con autismo y niños con otros trastornos del desarrollo. Dado que los comportamientos sociales y de comunicación son claves para el diagnóstico del autismo, es importante determinar si los retrasos en estas áreas se pueden tener en cuenta en el nivel general del desarrollo cognitivo del niño. Si el nivel de desarrollo socio-comunicativo coincide con el que muestra en otras áreas cognitivas, entonces podría ser más apropiado un diagnóstico de retraso del desarrollo global que un diagnóstico de autismo. Por el contrario, si sus habilidades sociales y de comunicación muestran un retraso respecto a su nivel de desarrollo cognitivo general, el autismo puede resultar un diagnóstico más adecuado.

La pauta de rendimiento de un niño en las diferentes áreas cognitivas también suministra una importante información de diagnóstico. Por ejemplo, a menudo los niños pequeños con retrasos de desarrollo globales, pero no autistas, obtienen resultados cognitivos que evidencian un retraso bastante uniforme en todas las áreas, mientras que los niños autistas suelen mostrar una mayor variabilidad, con un mejor rendimiento en las áreas no verbales que en las verbales o de lenguaje. Los niños con autismo también pueden sufrir retrasos en su desarrollo global, aunque incluso en este caso, sus habilidades no verbales tienden a ser mayores que sus habilidades de lenguaje.

Es muy útil para los padres asistir, si es posible, a la evaluación cognitiva. Algunos centros disponen de salas adyacentes con espejos unidireccionales desde donde observar y escuchar. En caso contrario, pregunta si puedes sentarte en la sala con tu hijo durante la evaluación. En cualquier caso, si tiene dificultades para separarse de ti, es más que probable que el propio clínico te invite a acompañarlo. Observando puedes proporcionar un valioso *input* al profesional acerca de la mayor o menor tipicidad de los comportamientos que ha manifestado tu hijo, describir conductas que te hayan sorprendido e informarlo de las habilidades que suele demostrar en casa. Asimismo, tienes la oportunidad de hacer sugerencias de posibles estrategias de gestión conductual que hayan dado resultado en casa, o simplemente ofrecer tu regazo al pequeñín para que esté sentadito y se muestre más seguro y confiado.

Sin embargo, también hay cosas que no deberías hacer si estás en la sala con tu hijo. Es muy importante que no lo estimules o coacciones de ningún modo, como lo sería parafrasear las instrucciones del examinador. Sé que es muy tentador, pero los resultados estándar sólo son válidos si el test se realiza de la forma adecuada, lo cual casi siempre implica dar instrucciones de una forma preestablecida. Así pues, limítate a estar a su lado y no te entrometas en el trabajo del clínico.

También es difícil resistir el impulso de preguntar qué tal lo está haciendo tu hijo. Ten por seguro que no conseguirás ninguna información durante la evaluación. Es inútil, no pierdas el tiempo. El clínico necesita tiempo para combinar todas las diferentes piezas de información antes de emitir un diagnóstico. Una información prematura podría resultar engañosa o errónea.

Mientras observas, tal vez te preguntes por qué el profesional está proponiendo tantas cuestiones que probablemente tu hijo no puede hacer. Existe una razón. La mayoría de los tests cognitivos están diseñados para que los niños fallen un cierto número de cuestiones o «problemas» antes de que se pueda interrumpir un subtest. En los casos en que el niño demuestra unas habilidades de desarrollo irregular y una pauta determinada, como fallar dos cuestiones, superar una, fallar tres y superar una, la evaluación puede tardar un buen rato en concluir.

La investigación actual

El autismo se ha asociado a un mayor tamaño de la cabeza en los niños pequeños. Un estudio de Eric Courchesne en la Universidad de California, San Diego, ha sugerido que el índice de crecimiento de la cabeza en los dos primeros años de vida puede reflejar una pauta de desarrollo cerebral específica del autismo y que puede representar un indicador precoz de este trastorno. En particular, los niños autistas eran más propensos que los niños típicos a mostrar un crecimiento inusualmente rápido de la circunferencia de la cabeza entre el nacimiento y la edad de seis a catorce meses.[9] Dado que la circunferencia de la cabeza está relacionada con el tamaño del cerebro, esto puede indicar diferencias tempranas en el desarrollo cerebral que pueden ser la causa de los síntomas del autismo.

Actualmente se está realizando un estudio longitudinal del crecimiento de la cabeza en niños con autismo en el Baby Siblings Research Consortium para determinar si estos resultados son susceptibles de réplica en una muestra diferente. El Consortium y este proyecto están coesponsorizados por el Instituto Nacional de Salud Infantil y Desarrollo Humano y la Alianza Nacional para la Investigación del Autismo.

OBSERVACIÓN DEL COMPORTAMIENTO DE TU HIJO

Además de puntuar el rendimiento de tu hijo en actividades específicas, el clínico también observará detenidamente su comportamiento. Mientras que los tests estandarizados facilitan información acerca de lo que hace y no hace el niño, las observaciones conductuales durante la evaluación son fundamentales para determinar cómo enfoca las tareas. ¿Está interesado en los materiales del test o preferiría jugar con otros objetos de la sala? ¿Es capaz de realizar una tarea difícil hasta el final o se siente frustrado con facilidad? ¿Cómo expresa su frustración en las tareas complejas? ¿Qué le motiva a intentar tareas difíciles? ¿El elogio? ¿Sus galletas favoritas? ¿Jugar con su juguete preferido? ¿Es capaz de seguir instrucciones o demostraciones? Toda esta información es importante para comprender al niño y generar estrategias de aprendizaje. La Tabla 3.3 muestra algunos ejemplos de comportamientos significativos que se pueden observar durante las evaluaciones de diagnóstico.

Ni que decir tiene que los clínicos también prestarán atención a comportamientos que los ayuden a confirmar o refutar un diagnóstico de autismo, tales como su forma de interactuar, comunicarse, uso del lenguaje y juego. Lo observarán durante actividades estructuradas, como por ejemplo tests cognitivos, y no estructuradas, como el juego libre, y también harán un énfasis muy especial en su estado de ánimo y su conducta durante sus propias interacciones con él y los intercambios padre-hijo.

En ocasiones los profesionales utilizan medidas o formularios estandarizados para estructurar sus interacciones o canalizar sus observaciones. Por ejemplo, el Formulario de Observación para el Diagnóstico de Autismo (FODA)[10] es una medida de diagnóstico que está considerada como una superestándar para la evaluación del autismo. Durante el FODA, el clínico utiliza un conjunto de situaciones estándar para estimular y observar los comportamientos sociales y de comunicación del niño. Luego se aplica un sistema de puntuación que determina una clasificación de diagnóstico. Esta medida fue desarrollada originariamente para proporcionar una forma regularizada de diagnósticos de investigación, aunque también es excelente en situaciones clínicas.

La Escala de Puntuación de Autismo Infantil (EPAI)[11] es una herramienta de análisis del comportamiento que también se puede utilizar como guía en las observaciones del profesional. La EPAI ofrece un resultado que puede caer en el rango de «no autismo», «autismo leve o moderado» o «autismo grave». La clasificación de la

TABLA 3.3. Comportamientos a observar durante las evaluaciones de diagnóstico.

Área	Observaciones
Interés e interacciones sociales	• ¿Muestra interés el niño en el examinador o es consciente de su presencia? • ¿Inicia interacciones con el examinador? ¿Por qué razones? • ¿Cómo responde el niño a los intentos de comunicación del examinador o al elogio? • ¿Cuál es la mejor manera de llamar la atención del niño?
Expresión emocional y regulación	• ¿Cuál ha sido el estado de ánimo en general del niño durante la evaluación? • ¿Son sus estados de ánimos apropiados a la situación? • ¿Qué hace el niño cuando está feliz? • ¿Se puede adivinar el estado de ánimo del niño mirándole a la cara? ¿Muestra una variedad de expresiones faciales? • ¿Cómo afronta las transiciones entre actividades?
Lenguaje y comunicación	• ¿Cuál es el nivel de desarrollo del lenguaje? • ¿Usa o comprende gestos tales como señalar con el dedo? • ¿Qué le impulsa a comunicarse? • ¿Manifiesta comportamientos no verbales, tales como expresiones faciales y contacto visual, para comunicarse? • ¿Cómo se comunica el niño para pedir los objetos que desea o la actividad que le gusta? • ¿Intenta dirigir la atención del examinador hacia objetos o eventos de interés?
Estrategias y hábitos de trabajo	• ¿Permanece sentado a la mesa de trabajo durante breves períodos? • ¿Se dedica a las tareas sin distraerse demasiado? • ¿Intenta tareas difíciles? • ¿Cuál es la mejor manera de motivarlo para el trabajo? • ¿Insiste en una tarea hasta terminarla o se rinde enseguida?

Área	Observaciones
Uso de materiales	• ¿Usa los diferentes materiales con propiedad? • ¿Imita las demostraciones de acciones del examinador con materiales? • ¿Se resiste a cambiar de material cuando está trabajando con su preferido?
Uso de los sentidos y del cuerpo	• ¿Muestra respuestas inusuales a estímulos visuales, auditivos o táctiles? • ¿Muestra algún movimiento corporal inusual o repetitivo?

EPAI no se debería usar como sustituto de un juicio clínico profundo. Muchas veces mis impresiones clínicas no se han ajustado al resultado obtenido con esta escala. Aun así, puede ser un factor extra muy útil para realizar una evaluación de diagnóstico global.

Sé perfectamente que incluso con todas estas medidas estandarizadas cuidadosamente diseñadas, el entorno clínico físico no es el lugar más adecuado para efectuar observaciones y enjuiciar comportamientos. Tu hijo puede sentirse incómodo e inseguro, y percibir tu tensión, reaccionando de un modo negativo. También es posible que no muestre las conductas en las que has insistido en que son comunes en sus actividades cotidianas. Con todos mirándolo, el niño se puede sentir presionado, y tú también, a «representar» una especie de obra teatral que no comprende. Sabiéndolo de antemano, procura prepararte para estar lo más tranquilo y relajado posible. Un profesional experto sabe que no puede obtener una composición real o completa de tu hijo durante la evaluación de diagnóstico. Elige al clínico con cuidado. Sus ojos experimentados son fundamentales.

Para que el examinador pueda hacerse una idea más aproximada del niño cuando juega o en sus interacciones diarias, algunos padres graban vídeos y los llevan el día de la cita o los envían con antelación. Las cintas pueden ser muy útiles si son cortas (no más de cinco minutos) y muestran comportamientos específicos relevantes para el diagnóstico. Graba las conductas que te preocupen, tales como hábitos de juego inusuales, su respuesta cuando un hermano intenta iniciar el juego o su reacción a tus intentos de que diga adiós con la mano o sonría. Incluye breves secuencias de tu hijo en casa, en el parque o en una nutrida reunión familiar. Esta información ofrecerá al clínico una panorámica más amplia, siempre difíciles de obtener en el entorno clínico.

La conferencia de interpretación

La realización de los tests lleva tiempo, y puede ser muy frustrante si esperas y esperas los resultados para descubrir finalmente que aún queda otro test. Pero este proceso de evaluación en profundidad es importante por dos razones: 1) el autismo es muy difícil de diagnosticar en los niños pequeños y nadie desea equivocarse, y 2) el análisis en profundidad ayuda a determinar las mejores estrategias de intervención a partir del perfil de los puntos fuertes y los puntos débiles del niño.

Al final los tests concluirán y podrás celebrar la conferencia de interpretación, durante la cual el clínico o clínicos te explicarán los resultados. En algunos centros, la conferencia se realiza el mismo día de la evaluación, y en otros el procedimiento estándar consiste en pedir a los padres que regresen otro día a recoger los resultados. Si se trata de un equipo de profesionales, también es éste el momento en el que sus miembros comparten sus resultados e impresiones entre sí para formular el diagnóstico y las recomendaciones. Es muy frustrante esperar, lo sé, e incluso si recibes los resultados el mismo día, tendrás que esperar algún tiempo una vez completadas las actividades de evaluación. Los clínicos necesitan este tiempo para puntuar los tests y combinar toda la información para responder a tu pregunta: «¿Tiene autismo mi hijo?».

Tanto si tienes los resultados ese mismo día como si tienes que volver transcurridos algunos días, este período de tiempo puede ser el más duro para ti y para la familia. Independientemente de lo preparado que estés para aceptar un diagnóstico final de autismo, siempre es doloroso oír esta palabra.

En algunos casos, un solo profesional se sentará contigo para comentar los resultados de la evaluación, y si la evaluación se ha realizado en equipo, te acompañarán varios clínicos. (Si el número de personas te incomoda, no dudes en decirlo para reorganizar la conferencia de la mejor manera posible.) Las conclusiones que te presenten durante la conferencia de interpretación deberían representar un conjunto integrado de información de los resultados de los tests, las observaciones clínicas y la información que has facilitado. Las conclusiones describen los puntos fuertes y los puntos débiles del niño, y los resultados se deberían interpretar en el contexto de la mayor o menor tipicidad de su comportamiento durante la evaluación. Asimismo, el profesional debería darte ejemplos de las conductas que se ajustan y no se ajustan a un diagnóstico de autismo.

Durante la conferencia de interpretación el clínico debería verificar contigo si lo que está diciendo tiene sentido para ti y si coincide con tus propias impresiones. Aunque no te invite a hacerlo, pregunta cuanto quieras y haz los comentarios que consideres oportunos. La conferencia de interpretación debería ser bidireccional, una discusión interactiva entre ambos. Algunos padres preparan de antemano una lista de preguntas. Es imprescindible que comprendas lo que el profesional está diciendo, pues lo más probable es que pronto tengas que explicarlo a tus familiares, amigos y maestros.

Es difícil predecir exactamente cómo reaccionarás en una situación extraordinariamente estresante como la conferencia de interpretación. Tal vez no sientas nada, quizá te eches a llorar y no puedas parar. También podrías enojarte con el clínico ante lo que consideras que es un error, o con tu pareja por haberte persuadido de empezar un proceso que a tu juicio era absolutamente innecesario. Cualquier reacción es aceptable. Es normal disgustarse, incluso perder los nervios. Un profesional con experiencia lo comprenderá.

Durante la conferencia también te preguntarán si desearías que el informe escrito se enviara a otra persona. Puede ser difícil de decidir, pues aún no conoces su contenido. Suele ser habitual remitirlo al médico que te refirió para la evaluación (pediatra, coordinador del servicio o logopeda), pero la decisión es tuya y sólo tuya. La información de evaluación y el informe son confidenciales y no pueden facilitarse a otros sin tu autorización. En la mayoría de los casos es útil compartirlo con alguno de los profesionales sanitarios que atienden a tu hijo. Pero si prefieres ser tú quien vea el informe, puedes pedir que te lo envíen a ti. Luego puedes hacer copias y entregarlas a los médicos implicados en la asistencia sanitaria de tu hijo.

Tanto si la respuesta final es sí o no, recuerda que todo cuanto oigas reflejará el estado del desarrollo del niño en ese momento. Aunque el diagnóstico del autismo es relativamente estable con el tiempo, algunos pequeños experimentan mejoras en el comportamiento hasta el punto de que ya no resulte aplicable un diagnóstico de autismo. Dado que los niños pequeños siguen creciendo durante un dilatado período de tiempo, hay que ser consciente de que se pueden producir cambios en este diagnóstico «definitivo».

Dicho esto, el diagnóstico que recibas en ese momento te permitirá avanzar en la dirección correcta para conseguir las intervenciones más apropiadas que satisfagan las necesidades presentes de tu hijo.

DIAGNÓSTICO: NO AUTISMO

Si confías en el grado de experiencia y pericia de los clínicos y te aseguran que tu hijo no es autista, puedes respirar tranquilo. Aun así, de inmediato recordarás que las cuestiones relacionadas con su desarrollo que propiciaron el inicio de tan complejo proceso siguen estando presentes. En cualquier caso, tu hijo podría ser diagnosticado de otro trastorno del desarrollo, como un trastorno del lenguaje o un retraso global en el desarrollo.

De ser así, te sugerirán terapias de continuidad a tenor de las necesidades específicas del problema de desarrollo de que se trate y aplicarlas. Te sugeriría, sin embargo, que siguieras controlando y observando atentamente el desarrollo social y de comunicación del niño, y si continúas preocupado por el autismo, recaba una segunda opinión o solicita una reevaluación transcurridos seis meses o un año.

Diagnóstico: Tedne

En los niños pequeños puede ser muy difícil diferenciar entre las categorías de diagnóstico de trastorno autista y trastorno extendido del desarrollo no especificado (TEDNE). Los síntomas son muy parecidos y a menudo se solapan.

Así pues, podrían decirte después de la evaluación que tu hijo tiene TEDNE. En tal caso, sigue siendo aplicable la información relativa a la intervención precoz y el adiestramiento en casa de los capítulos siguientes. Las estrategias de intervención para niños con TEDNE y trastorno autista son similares, si no idénticas, sobre todo en las edades muy tempranas.

Diagnóstico: trastorno autista

Incluso cuando los padres esperan un diagnóstico de autismo e intentan prepararse para afrontarlo de la mejor manera posible, recibir el diagnóstico formal es un *shock*. Hay quienes pasan por un proceso muy doloroso semejante al asociado a la muerte de un ser querido: impacto, negación, enojo, culpabilidad y depresión.

El clínico que te notifica el diagnóstico debería ser perfectamente consciente del pesar que experimentarás. Incluso los padres proactivos que han sido capaces de reconocer inequívocamente los síntomas de autismo en sus hijos se sienten abrumados al perder «oficialmente» el último atisbo de esperanza. Dado que es muy duro para ellos reaccionar después del diagnóstico, algunos profesionales les dan el tiempo necesario para reajustar su estado emocional antes de informarlos del siguiente paso. Es posible que programen una cita de seguimiento para hablar de los detalles e implicaciones presentes y futuras del diagnóstico. Durante ese período sería una buena idea dirigirte a cualquier asociación de padres de niños autistas. Suelen organizar reuniones y grupos de apoyo, y facilitar información adicional (véase Páginas web).

Con el tiempo te sentirás más aliviado. Por fin te han dado una razón que justifica los comportamientos inusuales de tu hijo. Por otra parte, es reconfortante darse cuenta de que no te rechazaba personalmente, sino que respondía al entorno de la única manera de que era capaz. Ahora podrás ayudarlo. Estás en las etapas finales del sufrimiento: aceptación y renovada esperanza.

INFORMACIÓN A LOS FAMILIARES

La decisión de cómo y cuándo vas a informar a los miembros de tu familia acerca del diagnóstico de autismo del niño es muy personal. Con tus emociones pendientes de un hilo, es realmente difícil pronunciar la palabra «autismo» en voz alta a quienes están unidos a tu hijo mediante unos fuertes lazos afectivos. Pero el silencio no es la solución. Otras personas que pasan tiempo con él necesitan saber cuáles son sus necesidades para comprenderlo mejor y apoyarlo. Cuando les comuniques el diagnóstico, ten siempre presente estas palabras que no hace mucho oí decir a un padre hablando con otro: «Tu hijo sigue siendo el mismo niño que era antes del diagnóstico. Ahora tienes la oportunidad de comprender y tratar sus comportamientos». Éste es el mensaje que debes transmitir a sus hermanos y abuelos.

Hablar del diagnóstico de autismo con los hermanos

No existe una forma «correcta» de enfocar la cuestión al hablar del diagnóstico de autismo a los hermanos del niño. (Llamaremos al niño autista «Howie».) Lo qué dirás y cuándo lo dirás dependerá de su edad, de si te han hecho preguntas sobre el comportamiento de Howie y de la medida en que su conducta interfiere en las actividades y rutinas familiares.

Una charla sobre el autismo es parecido a hablar a los niños de pájaros y abejas; su predisposición a oír cosas y su habilidad para comprender lo que les estás diciendo cambiará con el tiempo. En consecuencia, es muy probable que el tema del diagnóstico se prolongue durante varios meses, o incluso años, y que no baste una Gran Ponencia que empiece y acabe en veinte minutos. En cualquier caso, es importante estar abierto a estas charlas y escuchar sin ánimo de enjuiciar los sentimientos y frustraciones que puedan expresar tus demás hijos.

Para niños en edad escolar puede ser útil usar términos descriptivos generales en lugar de la etiqueta «diagnóstico». Por ejemplo, puedes explicar que «Howie tiene dificultades para comprender y usar palabras» o que «Howie aprende de una forma diferente a la que lo hacen ellos», o también que «Howie necesita ayuda para aprender a jugar». De igual modo, una explicación sin entrar en los detalles científicos que justifican la causa de este trastorno conseguirá que tus otros hijos lleguen a la preocupante conclusión de que su hermano está «muy enfermo».

Asimismo, es una excelente idea implicarlos en sus actividades de aprendizaje en casa (véase capítulo 5). Enséñales a interactuar y jugar con su hermano y demuéstrales comportamientos apropiados. Estas actividades «pedagógicas» deberían resultar divertidas para ellos, no una tarea, y es importante elogiarlos y prestarles una atención positiva.

También puedes encontrar buenos libros sobre autismo infantil que te ayuden a identificar la información más adecuada según la edad de los niños para hablarles de su hermano y a utilizar palabras que expliquen claramente este complejo trastorno de una forma fácil, sin preocuparlos innecesariamente. Te aconsejo que consultes unos cuantos y elijas el que use aquellos términos y conceptos con los que te sientas más cómodo y puedas leerles en voz alta y comentarlos.

A medida que los niños se aproximen a la adolescencia, necesitarán información más específica acerca del autismo, sus causas y su significado. Tal vez les interese leer algún libro sobre el tema y deseen realizar algún trabajo o proyecto para la escuela. Tener un hijo autista en casa también te da una magnífica oportunidad de charlar sobre la comprensión de las diferencias individuales entre las personas, apreciar la diversidad y hablar de los aspectos positivos del niño como un miembro válido de la familia.

Al mismo tiempo, tu hijo o hijos adolescentes se pueden sentir avergonzados por los comportamientos de Howie y reacios a invitar a sus amigos a casa. Esta reacción aparentemente negativa es normal y no debería enjuiciarse con dureza; forma parte de este complicado período llamado adolescencia. Dales libertad para expresar sus sentimientos y luego explícales que tú más que nadie comprendes su frustración y pesar, recordándoles asimismo la necesidad de tratar a Howie con cariño y respeto.

Hablar del diagnóstico de autismo con los abuelos

En ocasiones comunicar a los abuelos el diagnóstico de tu hijo puede resultar una tarea extremadamente difícil, especialmente cuando tu estado emocional está tan alterado. No es fácil anticipar una reacción; he visto reacciones que varían espectacularmente. Una madre joven me contó: «Mi suegra nos dijo que no deberíamos llevar a mi hijo a las reuniones familiares hasta que creciera. Fue muy duro oírle decir que prefería dejar de vernos durante años en lugar de intentar comprender a su nieto». Pero también han habido otros casos: «Nos conmovió la reacción de nuestra familia ante el diagnóstico de nuestro hijo. Todos preguntaron cómo podían ayudar y nos ofrecieron todo su apoyo. Sé que sus abuelos leen libros y artículos sobre este trastorno para comprenderlo mejor. Mi madre incluso ha dejado su trabajo para ayudarme durante estos momentos tan difíciles». En efecto, las reacciones varían. En cualquier caso, cualquiera que sea esa reacción, será esencial educar a los abuelos acerca de la naturaleza del autismo después de haberles hablado del diagnóstico.

Para empezar una charla podrías hablar de comportamientos específicos. Veamos un ejemplo:

> ¿Recordáis aquellos comportamientos que nos han desconcertado tanto durante tanto tiempo? Pues bien, ahora ya sabemos cómo denominarlos y conocemos sus causas. Howie no actúa como lo hace simplemente porque está malcriado, es tímido o no nos quiere, sino porque tiene autismo. El autismo explica por qué no habla ni gesti-

cula y por qué no parece comprender lo que decimos. Explica también por qué no está interesado en interactuar con nosotros como sus hermanos y por qué juega con cucharas y botellas en lugar de juguetes. Sé que es muy doloroso para todos oír esto, pero afortunadamente este trastorno se ha diagnosticado en una edad muy temprana y hay muchas cosas que podemos hacer para ayudarlo. Muy pronto empezará a seguir algunas terapias, y por mi parte aprenderé todo cuanto pueda hacer para ayudarlo en casa. Si tenéis preguntas cuando empiece la terapia, procuraré responderlas lo mejor posible. Esperemos que todos nuestros esfuerzos tengan un resultado positivo.

Después de la conversación inicial acerca del diagnóstico, sigue manteniendo informados a tus demás hijos y a los abuelos. El autismo no afecta sólo a uno de tus hijos, sino a toda la familia.

UNA HISTORIA DE DETECCIÓN PRECOZ:
SEGUNDA PARTE

En el capítulo 2 empezamos la historia de Luke y su familia. Ahora la continúa Jeff, el padre de Luke:

Se me hizo un tremendo nudo en el estómago cuando el pediatra sugirió a mi esposa que sería conveniente realizar una evaluación de diagnóstico a Luke. ¿Cree que mi hijo es realmente autista o simplemente ha cedido ante la insistencia de Judy? Millones de pensamientos cruzaron por mi mente. ¿Nunca podré entrenar a Luke en el equipo de la Liga Infantil? ¿Nunca será capaz de tener un empleo, de casarse, de tener hijos? ¿Tendrá que ir a una escuela especial? ¿Acabará en un rincón sentado en una mecedora?

Judy llamó al Centro de Desarrollo Infantil para programar una cita para una evaluación de diagnóstico y le dijeron que deberíamos esperar cinco meses. ¿Cómo íbamos a poder esperar tanto? Afortunadamente, el encargado de admisiones nos refirió al programa de identificación precoz. Nos reunimos con Stacie, coordinadora del servicio, que nos explicó cómo funcionaba todo.

En primer lugar le realizaron una evaluación del habla y el lenguaje. Luke tenía veintiséis meses por aquel entonces. El logopeda nos comentó que el niño sufría un trastorno del lenguaje receptivo y expresivo, es decir, una dificultad para comprender lo que le decíamos y de usar palabras para expresarse, y que sus habilidades de lenguaje correspondían a un niño de nueve a doce meses. A decir verdad, no sé cómo consiguió extraer conclusiones de aquella evaluación; Luke estuvo todo el tiempo llorando y correteando por la sala. Le preguntamos por el autismo, pero nos dijo que no estaba cualificada para hacer aquel diagnóstico. Me decepcionó un poco la evaluación, pues no era nuevo para nosotros que andaba retrasado en el lenguaje. Lo interesante fue descubrir que podía empezar inmediatamente una terapia del habla. Ya era algo.

La siguiente evaluación fue para la terapia ocupacional. Nunca había oído hablar de ello. El terapeuta trabajó con Luke durante un rato y luego nos dijo que realmente necesitaba la terapia para mejorar sus habilidades motoras de precisión y su integración sensorial (¡vete tú a saber qué significará!). Pensé que un poco más de terapia no sería perjudicial, aunque lo cierto es que ya llevaba tres evaluaciones en dos meses y todavía no sabíamos si tenía o no tenía autismo. Entretanto, su comportamiento parecía estar mejorando; había aumentado el contacto visual y toleraba mejor nuestro afecto. Tal vez habíamos perdido todo este tiempo preocupándonos innecesariamente.

Finalmente llegó el momento de la evaluación de diagnóstico. Le pedí a Judy que no fuera, pero ella insistió. Nos reunimos con un pediatra especializado en desarrollo infantil y un psicólogo. Estuvimos hablando tres horas. Nos hicieron muchísimas preguntas. Habían hecho un extraordinario trabajo con Luke; nunca lo había visto sentado en un mismo sitio tanto rato. Luego nos dieron los resultados. Nos dijeron que sufría un retraso del desarrollo, que sus habilidades visuales y motoras eran superiores a las del lenguaje, y que «TIENE AUTISMO». Me sentí como si acabaran de propinarme un puñetazo en la boca del estómago. No recuerdo nada más de lo que hablamos aquel día.

PREGUNTAS MÁS FRECUENTES

He leído que algunos niños autistas muestran comportamientos «estereotipados». ¿Qué significa?

Los comportamientos «estereotipados» son conductas repetitivas, frecuentes y que no parecen tener ninguna finalidad. Pueden incluir movimientos corporales (aletear las manos, girar en círculo), objetos (alinear juguetes, hacer girar las ruedas de los coches de juguete) o verbalizaciones (repetir frases de la tele o películas de vídeo). Pertenecen a la categoría de «comportamientos limitados y repetitivos» en los criterios del *DSM-IV* para el autismo.

Mi amiga me envió un artículo acerca de una posible conexión entre el autismo y anomalías del sistema inmunológico. ¿Es cierto?

Como ya habrás visto en el capítulo 1, existen innumerables teorías sobre las causas del autismo, pero aún no se ha demostrado ninguna. Las teorías son importantes, pues generan ideas que diferentes investigadores pueden verificar empíricamente en distintos laboratorios. Pero hasta que se demuestre que son ciertas, lo único que podemos hacer son suposiciones.

En efecto, una teoría sobre el autismo dice que está causado por un trastorno en el sistema inmunológico, encargado de identificar y eliminar sustancias extrañas (antígenos) del cuerpo. Las anomalías en el sistema inmunológico pueden implicar (1) una reducción en determinados tipos de células inmunes, lo que podría reducir la capacidad del organismo de combatir las infecciones; o (2) un incremento de las respuestas autoinmunes del cuerpo, en cuyo caso las células inmunes identifican erróneamente las propias células del organismo como extrañas y empiezan a atacarlas (la diabetes y el lupus son dos ejemplos).

Algunos estudios han encontrado evidencias de una disfunción en el sistema inmunológico en los niños autistas, pero otros no, de manera que los resultados no son concluyentes a este respecto. Por ejemplo, si la escritura zurda y el autismo se dieran al mismo tiempo, no significaría que el trastorno inmunológico causara el autismo.

Otras explicaciones de esta asociación serían que tener autismo provoca la escritura zurda o que cualquier otro evento subyacente es la causa tanto de la escritura zurda como del autismo. Incluso podría darse el caso de que el autismo y la escritura zurda tengan causas diferentes totalmente independientes entre sí. Existen múltiples condiciones físicas relacionadas de algún modo con el autismo, pero te recomiendo escepticismo ante cualquiera que asegure conocer su causa.

Años atrás, unos padres me dijeron que sus hijos autistas acabarían en una institución para minusválidos. En absoluto. Aunque no sabemos exactamente cómo progresarán o remitirán los síntomas de este trastorno en un niño menor de tres años, esperamos que mediante una intervención precoz muchos pequeños sean capaces de incorporarse en una clase de preescolar convencional. Ése es nuestro objetivo. En el capítulo siguiente examinaremos los diferentes tipos de intervenciones disponibles para niños diagnosticados de autismo y en qué medida pueden ayudar a tu hijo.

❖ CAPÍTULO 4 ❖

La intervención precoz es la mayor esperanza de futuro de tu hijo

No hay discusión: una intervención precoz es la mejor esperanza de futuro de tu hijo. Una atención temprana tendente a mejorar los síntomas esenciales del comportamiento autista le proporcionarán, y también a toda la familia, múltiples e importantes beneficios que desaprovechará si adoptas el enfoque de «esperar y ver» hasta que entre en la escuela a los cuatro o cinco años. Un buen programa de intervención precoz tiene por lo menos las cuatro ventajas siguientes:

1. Ofrecerá a tu hijo la terapia necesaria para potenciar sus puntos fuertes, enseñándole nuevas habilidades, mejorando sus comportamientos y remediando las áreas de debilidad.
2. Te proporcionará información que te permitirá comprender mejor el comportamiento y las necesidades de tu hijo.
3. Te ofrecerá recursos, apoyo y adiestramiento para trabajar y jugar con el niño de un modo más eficaz.
4. Mejorará el rendimiento global de tu hijo.

Por estas razones, el programa de intervención debería implantarse lo antes posible después del diagnóstico. Sin embargo, como probablemente ya sabrás, puede ser muy difícil enseñar a los niños pequeños con autismo. Tienen un perfil único de necesidades y puntos fuertes, y requieren servicios de intervención y enfoques pedagógicos específicos a tenor de sus características. De ahí que unas determinadas estrategias que han funcionado bien con otros niños para que permanezcan sentados a la mesa durante la cena, jueguen adecuadamente con un juguete o pronuncien palabras simples no den resultado con tu hijo autista. De igual modo, es menos probable que los programas de intervención genéricos, no especializados en el autismo, resulten eficaces. Ten, pues, presente al iniciar el proceso que no todas las intervenciones son iguales.

Este capítulo te ayudará a evaluar una diversidad de programas para determinar mejor los enfoques pedagógicos más apropiados para tu hijo.

HABLAN LOS PADRES
Consejos de la experiencia personal

Los consejos que daría a otros padres con niños autistas son los siguientes: 1) buscar una terapia y aplicarla como si estuviera en juego la vida de tu hijo; 2) aislarte de vez en cuando del entorno y respirar un poco de aire fresco, y 3) recordar que el comportamiento de tu hijo no es un reflejo de ti como padre. Las opiniones de la gente en el supermercado no importan; no le debes al mundo una disculpa cuando el niño hace ruidos de animales en el pasillo de la sección de congelados. No tienes por qué explicar el espectro autista a nadie que te dirija una mirada de desdén cuando tu hijo te lame el brazo y exclama: «¡No quiero bailar!». ¿Está seguro y feliz? ¿Satisfaces sus necesidades de la mejor forma posible y potencias su aprendizaje y su desarrollo? En tal caso eres mucho más que un buen padre o una buena madre; eres el padre o la madre de un niño con necesidades especiales. Eso es todo (madre de un niño de tres años).

Comprender el estilo de aprendizaje de tu hijo

Encontrar el programa de intervención correcto empieza con una comprensión del estilo de aprendizaje de tu hijo, bastante diferente del estilo de otros niños. Probablemente lo hayas comprobado si has intentado enseñarle a decir adiós con la mano utilizando las mismas estrategias que usaste con tus otros hijos, es decir, demostrando la acción, proporcionando un estímulo verbal diciendo «di adiós» e incluso moviendo su manita para enseñarle cómo se hace. Pero cuando este enfoque no parecía dar resultado, también probablemente empezaste a pensar que tu hijo era obstinado o que se mostraba reacio a cooperar. Después de todo, le estás enseñando habilidades básicas mediante métodos que funcionaron muy bien con sus hermanos.

Esta diferencia en los estilos de aprendizaje no es sólo aparente cuando se intenta enseñar a niños autistas, sino también en la forma de aprender, o no aprender, por sí mismos. Son innumerables las cosas que un niño sin autismo es capaz de aprender sin el menor esfuerzo, sin que le enseñen. No es el caso de los autistas. Por ejemplo, los niños típicos aprenden de algún modo, sin explicaciones específicas, a usar el gesto de señalar con el dedo para que sepas lo que quieren o llamar tu atención. Aprenden a seguir tu dedo cuando señalas algo o tu mirada para averiguar qué estás mirando o qué ha despertado tu interés. Asimismo, son capaces por sí solos de usar el contacto visual y las expresiones faciales para comunicar sus sentimientos, y también para comprender el significado de tus propias expresiones faciales y el tono de voz. Este tipo de comportamientos y habilidades socio-comunicativos no son naturales ni espontáneos en los niños con autismo, y a menudo hay que enseñárselos explícitamente.

Aprendizaje precoz excepcional

Tal vez te hayas dado cuenta de que tu hijo autista ha aprendido muchas cosas a una edad mucho más temprana que otros niños que conoces. Y sí, tienes razón. También hay cosas que los niños con autismo aprenden por sí mismos mucho más rápidamente que sus iguales o hermanos no autistas. Veamos algunos ejemplos:

- Pueden aprender perfectamente a elegir y sacar del estante su película de vídeo favorita.
- Pueden aprender a una muy tierna edad a operar los mandos a distancia del televisor y el vídeo, rebobinando las películas para visionar las escenas que más les gustan, o pasar las secuencias que no son de su agrado.
- Pueden ser muy creativos en la forma de encaramarse a la encimera de la cocina para alcanzar el armario donde guardas sus cereales predilectos, o incluso usar la llave para abrir la cerradura de la puerta trasera para salir al patio y jugar con el columpio.

Evidentemente, ni se te habría pasado por la cabeza enseñar estos comportamientos a tu hijo de dos añitos, y, aun así, algunos niños autistas se las ingenian para adquirir estas habilidades por sí solos.

¿Cómo interpretar esta incoherencia entre las cosas que aprenden y no aprenden los niños con autismo? ¿Cómo es posible que un pequeño que es incapaz de clasificar figuras de formas diferentes aprende sin el menor problema a poner la tele y el DVD, colocar una película y pulsar el botón de *play*? ¿Cómo puede un niño incapaz de comprender una instrucción simple como «Toma el abrigo» imaginar lo que hay que hacer para abrir una puerta y salir? ¿Cuál es el origen de este estilo de aprendizaje tan peculiar?

En una palabra: motivación. Todos prestamos una mayor atención a las cosas que nos interesan y, en consecuencia, las aprendemos más fácilmente.

Menor motivación social

Los niños autistas parecen sentirse motivados por cosas diferentes que sus iguales sin este trastorno. Por ejemplo, los motiva mucho más realizar sus actividades favoritas, tales como columpiarse o ver una película, que interactuar socialmente. Así pues, mientras los niños típicos se entretienen intentando que su hermana juegue con ellos, los autistas juegan con sus juguetes preferidos o se deleitan con la comida que más les gusta. Recuerda que los desequilibrios sociales son uno de los rasgos más importantes del autismo.

No quiero decir con esto que los pequeños con autismo no se interesen por otras personas. En realidad tienen las mismas necesidades de afecto, confort y seguridad que los demás, y los padres desempeñan una función primordial en su satisfacción. A tu hijo puede gustarle sentarse en tu regazo en una posición especial, seguirte por la casa para estar en la misma habitación que tú o aferrarse a ti en situaciones nuevas o poco familiares. Los niños con autismo necesitan y aman a sus padres como cualquier otro niño, aunque no se sienten tan impulsados a implicarse en interacciones bidireccionales que incluyan tener que comprenderlos o agradarles, o compartir sus intereses con ellos.

Y ésta es una de las cosas que hace tan difícil enseñarles. La mayoría de los niños pequeños experimentan la atención y aprobación de los adultos como algo positivo, tanto si proviene de sus padres, abuelos o maestros. Los motiva mostrar comportamientos que llamen la atención y aprobación de los demás. Aprenden a una temprana edad que pueden complacer a papá y mamá haciendo lo que les piden, y también qué conductas provocarán su desagrado o pérdida de atención, limitándolos poco a poco para evitar sus consecuencias negativas. Dado su interés social natural, el «tiempo muerto» en la atención suele ser una buena estrategia para reducir los comportamientos no deseados en los niños de desarrollo típico.

Pero a los niños con autismo no suele motivarlos agradar a los adultos, prestan una menor atención a las demostraciones de sus padres de cómo se juega con un juguete de una forma diferente, por ejemplo, para llamar la atención o aprobación que los demás niños tanto ansían. De ahí que el «tiempo muerto» en la atención no funcione particularmente bien para reducir las conductas no deseadas en los niños autistas. Sentirse ignorados no es una consecuencia negativa para un pequeño cuyo interés social es francamente limitado.

Por consiguiente, no se puede confiar en las recompensas sociales para motivarlos a aprender nuevos comportamientos o habilidades, sino que hay que buscar otras fórmulas para motivarlos, como, por ejemplo, dejar que jueguen con un juguete especial o darle aquella galleta de chocolate que tanto le gusta. En el capítulo 5 profundizaremos un poco en cómo identificar recompensas motivadoras y utilizarlas para enseñarles nuevas habilidades.

Menor comprensión del lenguaje

Además de desequilibrios sociales, las demás características conductuales del autismo también influyen en la forma de aprendizaje de estos niños. Piensa en cómo los enseñamos a hacer lo que queremos que hagan. Nuestra estrategia pedagógica natural consiste en darles instrucciones verbales. Decimos: «Levanta los brazos» cuando intentamos ponerles una camiseta, y les sugerimos que echen el papel en el cubo de la basura y no en el suelo. Los instruimos verbalmente para que no se apropien de los juguetes de otros niños y les explicamos por qué. Les decimos que jugarán en el parque más tarde, no ahora, pues de lo contrario tendrán que bañarse antes de la cena en lugar de después de la cena. En otras palabras, usamos el lenguaje para dar instrucciones, facilitar información y describir los comportamientos que esperamos de ellos. Esta estrategia funciona bastante bien con niños que comprenden el lenguaje.

Pero ¿qué ocurre con los niños autistas que sufren retrasos en la comprensión del lenguaje? No siempre podemos saber si nos están comprendiendo lo que decimos, de manera que no queda otro remedio que buscar otras formas de transmitir estos tipos de información y utilizar métodos de enseñanza diferentes. Uno de ellos consiste en proporcionar apoyos visuales además de instrucciones verbales. Esta estrategia hace un énfasis especial en un área que suele estar bien desarrollada en muchos niños con autismo: reconocer y recordar el significado de las imágenes. La mayoría de ellos procesan perfectamente la información visual y sus habilidades en esta área pueden superar a las de los niños con un desarrollo típico. Proporcionarles imágenes u otros tipos de apoyos visuales les ofrece información adicional que facilita su comprensión. De este modo estamos potenciando sus puntos fuertes para mejorar un área de debilidad. En el siguiente capítulo profundizaremos un poco más en la creación y uso de apoyos visuales.

Pautas de juego más limitadas

Las actividades o intereses limitados del niño también pueden influir en su aprendizaje. Algunos niños con autismo muestran un interés excesivo en uno o dos juguetes u objetos con los que juegan exclusivamente y tienen dificultades cuando se les obliga a desprenderse de ellos. Otros, en cambio, pueden tener una forma preferida de interactuar con los juguetes y mostrarse reacios a aprender nuevas formas de jugar con ellos. Por ejemplo, un niño puede preferir hacer girar platitos en la mesa en lugar de colocar tazas sobre ellos para simular una merienda. Y otros, en fin, pueden tener un modo específico de completar un puzzle, disgustándose cuando un adulto cambia el orden de colocar las piezas o intenta que las etiquete antes de colocarlas.

Algunos niños autistas evitan interactuar con determinados juguetes con cualidades sensoriales que les desagradan, como en el caso de la plastilina o el sonido de juguetes mecánicos. Dado que a los niños les enseñamos muy a menudo mediante lecciones basadas en el juego, debemos comprender bien sus pautas, sus preferencias y lo que les disgusta antes de poder desarrollar un programa de intervención precoz apropiado.

Mediante el examen más adelante en este capítulo de diversos tipos de programas de intervención precoz veremos cómo se adaptan diferentes terapias educacionales a la satisfacción de las necesidades únicas de los niños con autismo para que puedan integrarse en preescolar a los cinco años. A continuación encontrarás una lista de habilidades y comportamientos que se pueden esperar de los niños en edad preescolar que te dará una idea de los tipos de habilidades que potencia un programa de intervención precoz.

Habilidades de preparación para preescolar:
Comportamientos esperados en el aula

- Escuchar instrucciones desde el otro extremo de la clase.
- Seguir instrucciones de grupo.
- Atender a las demandas del adulto.
- Localizar materiales y clasificarlos.
- Compartir materiales y actuar por turnos.
- Trabajar y jugar sin molestar a los demás.
- Estar sentado tranquilamente en grupos pequeños y grandes.
- Trabajar independientemente y hacer las tareas.
- Completar tareas.
- Levantar la mano para llamar la atención.
- Comunicar sus necesidades y pedir ayuda.
- Responder preguntas.
- Alinearse y caminar el fila.
- Saber esperar.
- Realizar transiciones entre actividades.
- Ocuparse independientemente de las tareas de cuidado personal (comer, lavabo, etc.).

La mayoría de estas habilidades pueden parecer fuera del alcance de tu hijo en estos momentos, pero no te desanimes. Incluso los niños de dos años con un desarrollo típico tienen un largo camino que recorrer antes de estar preparados para preescolar. Los padres de todos los niños de dos años tienen tres para ayudarlos a adquirir las habilidades sociales y conductuales que necesitan para empezar en preescolar, y con una intervención precoz y tú a su lado, tu hijo tendrá tiempo más que suficiente.

ACCESO A LOS SERVICIOS DE INTERVENCIÓN PRECOZ

La mayoría de los niños menores de tres años se benefician de los servicios gratuitos que ofrece el programa de intervención precoz (PIP) de la Seguridad Social. Aunque el proceso para acceder a estos servicios puede diferir de un país a otro o incluso de una región a otra dentro de un mismo país, puede ser útil ofrecer una breve visión general para que te hagas una idea aproximada de cómo funciona.

En muchos casos, los padres contactan con el PIP antes del diagnóstico, y los coordinadores de servicio los ayudan a tramitar la evaluación del diagnóstico, y en otros, prefieren esperar hasta el diagnóstico.

En cualquier caso, el diagnóstico de autismo es el ticket de acceso del niño a servicios especializados, y el coordinador del servicio del PIP colaborará contigo para que pueda disfrutar de los servicios que necesita. Se encarga de recopilar la información sobre tu hijo y tu familia necesaria para determinar la eligibilidad del niño para los servicios y para diseñar e implantar un Plan de Servicio Familiar Individualizado (PSFI), un documento similar a un mapa de carreteras que define el proceso de participación de tu familia en el PIP, especificando los servicios necesarios, quién los prestará, dónde se prestarán y su periodicidad. El PSFI también incluye un plan de transición que describe los servicios que recibirá el pequeño al cumplir tres años y las transiciones desde el PIP a otros programas y servicios específicos ofrecidos en tu área de residencia.

Cuando tu hijo ingrese en el sistema escolar, tendrá a su disposición un equipo de Plan Educativo Individualizado (PEI), no de PSFI. Veamos algunos consejos para facilitar la transición desde el sistema del PIP al sistema escolar. Tal vez quieras consultarlos de nuevo cuando llegue el momento.

Antes de la transición debes hacer lo siguiente:

1. Solicita una reunión personal entre los miembros de tu equipo PSFI, incluido tú, y los miembros del equipo PEI. Es importante que quienes hayan trabajado con tu hijo tengan la oportunidad de compartir información con los maestros y terapeutas que trabajarán con él en el futuro.

2. Aporta cuantos documentos e información dispongas para que el equipo PEI comprenda las necesidades y los puntos fuertes de tu hijo. Por ejemplo, si usa apoyos visuales, mués-

traselos para que conozcan cuáles serán sus «pertrechos» personal en el aula.

3. Recaba la máxima información posible acerca de la nueva escuela de tu hijo. Visita el centro y el aula (durante el horario lectivo), habla con quien será su maestro y aprende las rutinas a las que deberá acostumbrarse para prepararlo. Pregunta por ejemplo sobre el horario escolar, la rutina del uso del inodoro, las comidas o la hora de la siesta.

4. Realiza varias visitas breves a la escuela acompañado de tu hijo para que se familiarice con su futura clase y conozca a quien será su maestro. Plantea la posibilidad de que asista al centro sólo media jornada durante las primeras semanas si crees que puede facilitarle la transición.

Llegado este momento, tu hijo seguirá necesitando tu apoyo y orientación. Continúas siendo el primer y máximo valedor de tu hijo.

Desarrollo del Plan de Servicio Familiar Individualizado

El diseño y desarrollo del PSFI es un proceso de equipo entre cuyos miembros figura el coordinador del servicio, los prestadores del servicio de la comunidad y los padres, que pueden invitar a otros miembros de la familia o incluso asesores o abogados a las reuniones. También pueden participar profesionales que hayan evaluado al niño y los encargados de la prestación de servicios de intervención.

El contenido del PSFI consiste en toda la información necesaria y disponible acerca de las habilidades y necesidades del pequeño, así como también de los recursos, preocupaciones y prioridades de la familia. Según la filosofía de los servicios del PIP, los padres son esenciales para el desarrollo de los niños, y de ahí que los objetivos globales del mapa de ruta del PSFI no consistan sólo en facilitar su desarrollo, sino también potenciar la capacidad de la familia para intervenir eficaz y positivamente.

EL PSFI contendrá un número determinado de resultados (objetivos) tanto para el niño como para la familia, cada uno de los cuales irá acompañado de un conjunto de pasos para alcanzarlos. Es crucial que la prestación de la intervención esté centrada en la familia y que se produzca en el entorno natural del niño, es decir, allí donde se realizan las actividades y rutinas diarias, que por supuesto diferirá de una familia a otra, y que puede incluir el hogar, el supermercado, la casa de los abuelos y el parque, por ejemplo.

EL PSFI es un documento «vivo» que se debería revisar a intervalos regulares para añadir o eliminar resultados como respuesta a los progresos y necesidades cambiantes del niño. En la Tabla 4.1 se incluyen algunos ejemplos de resultados y pasos del PSFI, aunque debes recordar que el formato específico varía de un país a otro e incluso de una región a otra, de manera que los objetivos del niño podrían variar.

Tu participación durante el proceso del PSFI es crítico. Este documento determinará la naturaleza de los servicios que reciba tu hijo. En consecuencia, deberías preparar de antemano esta reunión, meditando en sus necesidades de aprendizaje para que todo funcione bien en el seno familiar y en el ámbito de la comunidad. Por ejemplo, ¿qué tal van las cosas durante las comidas, a la hora de vestirlo o de acostarlo? ¿Qué tipo de información o adiestramiento necesitas, o necesitan otros miembros de tu familia, para trabajar o jugar más productivamente con tu hijo? Debes concentrarte en el niño y en la familia como en un todo.

Existen algunas prácticas educativas específicas que han sido asociadas a programas de tratamiento eficaces para niños con autismo. A continuación se incluye una lista de estas prácticas, compilada a partir de diferentes fuentes.[1] A medida que vayas trabajando con el equipo de PSFI en el desarrollo de un programa para tu hijo, deberías intentar incorporar el mayor número posible de las mismas. Esta relación te ayudará a formular preguntas bien reflexionadas que guiarán tus decisiones mientras modelas el mejor programa posible para tu hijo.

TABLA 4.1. Modelo de Resultados y Pasos del PSFI.

Resultado	*Pasos*
Johanna indicará sus deseos y necesidades a su familia.	1. El logopeda comentará con los padres de Johanna los comportamientos de demanda específicos que habrá que enseñarle y las estrategias a utilizar. Se diseñarán técnicas para los padres.
	2. Los padres darán oportunidades a Johanna de pedir objetos y actividades deseados durante las rutinas diarias. *Ejemplos:* Durante el juego de las cosquillas los padres harán una pausa a intervalos regulares para estimular a Johanna a pedir más. Durante la hora del baño los padres darán a elegir a Johanna entre un juguete que le gusta y otro que no le gusta para fomentar su capacidad de elección. Durante las comidas los padres darán a Johanna su comida favorita en un recipiente de plástico transparente cerrado para estimularla a pedir ayuda.
	3. Cuando Johanna pida algo, recibirá elogios y abrazos además del objeto o actividad solicitada.
Johanna jugará con un juguete cerca de su hermano para preparar el juego por turnos.	1. El maestro de preescolar informará a los padres acerca de los juguetes con los que Johanna juega independiente y productivamente en la escuela.
	2. Los padres acondicionarán un área de juego colocando una manta en el suelo, seleccionando uno o dos de sus juguetes preferidos por cada niño y usarán un temporizador de cocina para indicar la longitud de la sesión lúdica (por ejemplo, un minuto). Al sonar la alarma, elogiarán y mimarán a los dos niños y les darán su dulce predilecto.
	3. El maestro de preescolar utilizará estrategias similares para ofrecer oportunidades a Johanna y a un compañero o compañeros de clase.

Elementos de un programa de tratamiento eficaz
para un niño autista

- La intervención se inicia a una temprana edad.
- Usa información evaluada para desarrollar objetivos de intervención individualizados.
- Implica a la familia en las actividades de evaluación e intervención.
- Implanta objetivos y estrategias educativas centrados en las áreas de autismo con déficit: interacción social, lenguaje y comunicación, imitación y juego.
- Proporciona por lo menos veinticinco horas semanales de intervención durante las cuales el niño participa en actividades productivas con personas u objetos.
- Utiliza un currículum extensivo que integra una variedad de estrategias de intervención.
- Aplica un enfoque pedagógico sistemático y bien planificado.
- Controla el progreso y logro de objetivos del niño a intervalos regulares.
- Ofrece un entorno educativo estructurado y de apoyo.
- Incorpora actividades que fomentan la generalización de habilidades a otros entornos.
- Utiliza un enfoque funcional, proactivo y positivo para gestionar y prevenir los comportamientos problemáticos.
- Ofrece oportunidades para interacciones estructuradas con iguales de desarrollo típico.
- Prepara a los niños para transiciones a futuros entornos educativos.

TIPOS DE SERVICIOS DE INTERVENCIÓN PRECOZ

Existen diferentes tipos de servicios y terapias educativas que se suelen recomendar habitualmente para niños con autismo. Tu equipo de PSFI diseñará un plan que incluirá algunas o todas las distintas

🔲 En cifras

El autismo fue incluido como una excepcionalidad educativa especial en 1991 y en la actualidad es la sexta minusvalía más comúnmente diagnosticada en Estados Unidos (141.022 niños atendidos). Las cinco categorías de minusvalía más frecuentes en 2003 fueron: 1) discapacidades específicas de aprendizaje (2.866.908 niños atendidos), 2) desequilibrios del habla o lenguaje (1.129.260 niños atendidos), 3) retraso mental (582.663 niños atendidos), 4) trastorno emocional (484.479 niños atendidos) y 5) otros trastornos de la salud, incluyendo a menudo niños diagnosticados de trastorno de déficit de atención/hiperactividad (TDAH) (452.442 niños atendidos). El número de niños atendidos bajo la categoría «autismo» para servicios de educación especial es excepcionalmente bajo comparado con los diagnosticados de TEA, debido, entre otras razones, a que no todos los niños diagnosticados de TEA reciben servicios de educación especial bajo la etiqueta de autismo, de manera que los datos educativos infraestiman la actual prevalencia del TEA.[2]

opciones presentadas en esta sección. Así pues, es muy importante que las conozcas y comprendas.

Terapia del habla-lenguaje

Teniendo en cuenta la frecuencia de los déficits de lenguaje y comunicación asociados al autismo, una terapia del habla-lenguaje constituye un elemento muy significativo para el niño. Los terapeutas, o logopedas, trabajan con los pequeños para mejorar su lenguaje receptivo (comprensión del lenguaje), lenguaje expresivo (uso de palabras para comunicarse), articulación (enunciado de palabras) o una combinación de todos estos factores. A menudo los niños autistas también muestran déficits en el lenguaje pragmático (uso del lenguaje en un contexto social), lo cual puede exigir una intervención centrada en el aprendizaje de habilidades tales como llamar la atención de alguien antes de hablar con él, concentrarse en la tarea o actividad y utilizar el contacto visual mientras habla con los demás.

Asimismo, los niños pequeños con autismo que tienen mínimas habilidades de lenguaje también suelen necesitar enfoques terapéuticos de comunicación aumentativa y alternativa (CAA) para aprender métodos no verbales para comunicar sus necesidades y deseos a los demás (dibujar, pintar, etc.). A menudo es recomendable para los niños autistas un enfoque de «comunicación total» que combine los enfoques verbal y no verbal a la vista de la gravedad de sus desequilibrios de lenguaje y comunicación.

Para algunos niños los resultados positivos de una terapia del habla les abren un nuevo y maravilloso mundo de experiencias. Éste fue el caso de Ari, una niña de veinte meses. Veamos lo que me contó su mamá:

> En casa, la única forma que se me había ocurrido para enseñarle a Ari a usar palabras para nombrar imágenes era mostrándole cartas. Al final empezó a aprenderlas, pero, aun así, no nos hablaba. Mary, su logopeda, obró milagros con ella. Diseña situaciones de juego y crea actividades que la estimulan a comunicarse. Ayer, sin ir más lejos, dijo «pelota» para pedirle que jugara con ella, y luego «más» para decirle que quería seguir jugando. Estoy impaciente por intentarlo en casa.

Las investigaciones realizadas en Vanderbilt han demostrado la importancia de la terapia del habla-lenguaje para los niños autistas.[3] Descubrimos que el número de horas de terapia que recibían entre los dos y los tres años estaba asociado a su habilidad en el lenguaje expresivo a los cuatro. Aunque este estudio no determina una cantidad óptima específica de horas de terapia con el logopeda, destaca la importancia de incluir este servicio en el «kit» de intervención para tu hijo.

Terapia ocupacional (TO)

La finalidad de la TO es incrementar la independencia y el rendimiento del niño en las habilidades del juego y del cuidado personal (comer, vestirse, etc.). Entre los objetivos específicos para los niños con autismo figura el desarrollo de las habilidades motoras de precisión (sujetar un lápiz o abrir un cierre de Velcro), coordinación ojo-mano (puzzles de encaje interior, etc.) o de ayuda personal (usar una cuchara, comer alimentos variados o quitarse los calcetines al desvestirse).

Dado que los niños autistas pueden tener respuestas sensoriales inusuales, algunos terapeutas ocupacionales también ofrecen una terapia de integración sensorial (TIS), que consiste en actividades diseñadas para ayudar a los niños a procesar la información que reciben a través de sus sentidos de una forma más típica. Veamos algunos ejemplos de actividades de TIS: frotar los brazos del niño con un cepillo de cerda blanda, comprimir las articulaciones, balancearlo en una hamaca, vestirlo con prendas pesadas, etc. A pesar de la popularidad de esta terapia, su eficacia en los pequeños con autismo no se ha estudiado sistemáticamente, de manera que no existen evidencias científicas de su adecuación en el tratamiento de dificultades sensoriales. Aun así, se suele incluir en los planes de intervención para niños autistas.

Sin embargo, otros tipos de TO pueden resultar muy útiles. Según el papá de Caroline, una niña de tres años y medio:

> La terapia ocupacional fue un salvavidas para nuestra familia. La hora de las comidas era una pesadilla para nuestra hija, que se negaba a usar los cubiertos y sólo aceptaba *nuggets* de pollo y algún que otro alimento que pudiera llevarse a la boca con los dedos. Nuestro coordinador de servicio refirió a Caroline a una evaluación de TO, y una de las recomendaciones en el informe fue tratarla dos veces por semana. Ruth, su terapeuta, estableció dos objetivos iniciales para la niña: usar una cuchara para comer y diversificar los alimentos. El progreso de Caroline en estos dos últimos meses ha sido asombroso. Ya tiene su cuchara y su plato especiales que le simplifican la tarea

de atrapar la comida en el plato con la cuchara. Ruth sigue dándonos innumerables consejos para estimularla a utilizarla durante las comidas en casa, y además ha conseguido que nuestra hija acepte texturas alimentarias que antes rechazaba, como el flan y la salsa de manzana. Ahora, las comidas son las rutinas más agradables en casa.

Terapia física (TF)

La TF puede ser recomendable para algunos niños con autismo que tienen dificultades con habilidades motoras amplias tales como fuerza, postura y equilibrio. Los terapeutas físicos pueden ayudarlos a controlar sus movimientos, incrementar su conciencia corporal y desarrollar la coordinación motora necesaria para adquirir determinadas habilidades, como por ejemplo caminar, correr y saltar.

La TF dio excelentes resultados para Mikia, de tres años, cuyo bajo tono muscular afectaba a la fuerza de sus brazos y sus piernas. Dice su madre:

> Incluso a los treinta meses, Mikia tenía dificultades trepando a los muebles, abriendo las puertas de los armarios y caminando sin tropezar y caer. Su debilidad muscular no estaba relacionada con su autismo, pero este trastorno hizo necesario buscar a un terapeuta físico idóneo a tenor de sus características. Un padre de la Asociación de Padres de Niños Autistas nos recomendó a Jessie. ¡Y qué decir de ella! ¡Fue genial! Ella y Mikia congeniaron desde el primer momento. ¡Mikia realiza ejercicios de fortalecimiento muscular creyendo que está jugando! Curiosamente, Jessie tiene un hermano mayor con autismo y le encanta trabajar con niños como Mikia.

Centros de desarrollo preescolar

Los centros de desarrollo preescolar son programas diseñados para ayudar a niños pequeños con discapacidades o necesidades especiales. Se imparten en los centros escolares. Algunos incluyen sólo niños con minusvalías, mientras que otros aceptan también niños con un desarrollo típico.

Estos centros suelen ofrecer un currículum global en el que se trabajan objetivos de aprendizaje individualizados en el contexto de actividades lúdicas apropiadas para el desarrollo. Este tipo de programas suelen tener un bajo ratio alumno-maestro y estar dotados de un equipo multidisciplinario específicamente adiestrado para trabajar con niños que sufren una amplia diversidad de trastornos del desarrollo. Los pequeños pueden participar en las actividades del aula a tiempo parcial o a jornada completa, casi siempre varios días por semana. A menudo incluyen una terapia del habla-lenguaje, TO y otros servicios relativos, que también se ofrecen en el centro, además que programas de ampliación con intervenciones en casa.

Susan está muy satisfecha de los progresos de su hija en el centro de desarrollo preescolar. Aquí, dos mañanas por semana, su hijo Kaitlin, de veinte meses, tiene la oportunidad de aprender a relacionarse y comunicarse con otros niños bajo la supervisión de maestros con experiencia y formación en el autismo. La mayoría de los demás pequeños en la clase también sufren algún tipo de discapacidad, aunque algunos hablan e interactúan mucho mejor que Kaitlin. Los maestros la están ayudando a aprender a jugar cerca de otros niños, a decir «más» por señas cuando quiere otra galleta y a jugar con los juguetes de la forma para la que han sido diseñados. Recibe muchísima atención individual y está progresando mucho en sus objetivos de PSFI. «Me preocupaba la idea de que mi hija estuviera en una aula sin compañeros con un desarrollo típico —dice Susan—. Pero sabía que no recibiría la misma atención ni sus maestros estarían especializados en autismo. Para equilibrar las cosas, también la llevo a un Programa de Día para Madres dos mañanas por semana para asegurarme de que tiene experiencias con niños de desarrollo típico.»

Centros de preescolar regular

La participación en programas diurnos de preescolar diseñados para niños con desarrollo típico también puede ser un factor importante de intervención para algunos pequeños que sufren un trastorno autista. Ofrecen un «entorno natural» que facilita a los niños con autismo la exposición a rutinas e interacciones con iguales de alrededor de su misma edad. Los compañeros de desarrollo típico actúan a modo de modelos de conducta en las habilidades sociales, de comunicación y de juego.

Sin embargo, no todos los centros de preescolar están equipados para ofrecer entornos de aprendizaje productivo a niños autistas. Sus habilidades de imitación relativamente débiles hacen que estar con iguales típicos no sea a menudo suficiente para un aprendizaje social eficaz, sino que es necesario desarrollar actividades pedagógicas específicas en las que participen niños autistas y uno o dos iguales de desarrollo típico para fomentar las interacciones y la enseñanza de habilidades. En ocasiones, otros terapeutas que trabajan con el niño autista, como por ejemplo el logopeda, pueden acudir al centro de preescolar para practicar una intervención directa con el pequeño y discutir con el personal escolar las actividades pedagógicas específicas que se pueden organizar.

Carlo, por ejemplo, asiste a un programa de preescolar regular tres mañanas por semana. Su padre me contó: «Los maestros de Carlo lo tratan como a todos los demás y creemos que es importante para él tener las mismas experiencias preescolares que los demás niños. Queremos que esté en compañía de otros pequeños de su edad para que aprenda de ellos. Pero también queremos que se beneficie de determinados servicios de intervención especializados. De ahí que un terapeuta de ACA [análisis del comportamiento aplicado; véase sección siguiente] lo visite en casa dos tardes por semana y trabaje con él. Esta combinación de preescolar y terapia en casa está dando excelentes resultados no sólo para Carlo, sino también para toda la familia».

Intervención conductual

La intervención conductual se ha convertido en una piedra angular del tratamiento de los niños con autismo, y muy especialmente está adquiriendo poco a poco la naturaleza de acrónimo familiar para muchos padres. ACA significa «análisis del comportamiento aplicado», un enfoque científico del estudio del comportamiento y los cambios en la conducta.

El ACA es un término «paraguas» que comprende una variedad de conceptos, principios y técnicas que se usan en la evaluación, tratamiento y prevención de problemas del comportamiento. La finalidad del ACA es potenciar las habilidades y conductas deseadas, reducir las no deseadas, enseñar nuevas habilidades y fomentar la generalización de las habilidades recién adquiridas en casa, la escuela y el entorno comunitario. Los principios del ACA se aplican no sólo al comportamiento de los niños autistas, sino a todas las conductas humanas. Las siglas ACA se utilizan a menudo erróneamente en referencia a un enfoque conductual específico propuesto por el doctor Ivar Lovaas de la Clínica UCLA para el Tratamiento del Comportamiento Infantil. En realidad hace referencia a una diversidad de enfoques y a un amplio ámbito de conocimientos relacionados con el estudio y la práctica de los cambios en el comportamiento. Como resultado, no todos los programas de ACA para niños con autismo serán idénticos, aunque deberían ceñirse a la misma filosofía general de intervención.

Los terapeutas conductuales pueden emplear una amplísima gama de técnicas y estrategias para trabajar con niños con autismo. Entre los términos asociados al ACA de los que puedes oír hablar a los terapeutas figuran «entrenamiento de ensayos discretos», «pedagogía pivotal», «adiestramiento de la respuesta pivotal» y el «Sistema de Comunicación por Intercambio de Imágenes (SCII)» (véase capítulo 5; más información sobre estrategias pedagógicas específicas). Las técnicas específicas del ACA, o la combinación de técnicas utilizadas, deberían determinarse tras evaluar al niño e identificar sus puntos fuertes, necesidades y estilo de aprendizaje. Lo que tienen en común las diferentes técnicas es su enfoque sistemático y su énfasis en los resultados funcionales y medibles. La utilidad de los enfoques del ACA está bien fundamentada en la literatura científica tanto para niños con autismo como para muchas otras poblaciones.

Leonard, el padre de Nathan, ha observado cambios positivos en su hijo desde el inicio de la terapia ACA: «Al principio», admite

Leonard, «no tenía demasiada fe en que estas lecciones influyeran en el comportamiento de mi hijo. Nathan permanecía encerrado en sí mismo y pasó las primeras sesiones llorando sin parar. Pero ahora no puedo creerlo. La semana pasada pidió "más" helado al tiempo que señalaba el frigorífico. Una serie de lecciones muy estructuradas que le enseñan paso a paso a imitar señalando le han abierto un mundo nuevo».

Formación de los padres

La formación de los padres se realiza a partir de determinados servicios diseñados para que aprendan a comprender, interactuar, tratar y enseñar a sus hijos. La formación de los padres se diferencia de los demás tipos de servicios descritos hasta aquí en el centro de atención, en este caso no los niños, sino los padres.

Las actividades de formación de los padres pueden presentar diferentes formas. En ocasiones se realiza en el contexto de las terapias del niño. Por ejemplo, al término de una sesión de terapia oral, el terapeuta puede enseñar al padre o la madre lo que está haciendo para que su hijo aprenda a usar un dibujo para pedir un dulce y poder así repetir en casa esa misma actividad. Otras veces las actividades de formación de los padres son independientes de las demás terapias, como en el caso de las clases de tratamiento del comportamiento o talleres de trabajo para aprender a construir y utilizar apoyos visuales para el niño. Este tipo de actividades capacitan a los padres para enseñar a sus hijos nuevas habilidades y a tratar mejor y con más eficacia sus conductas.

La formación de los padres es un aspecto crucial de los servicios de intervención precoz, aunque por desgracia a menudo se pasa por alto en un esfuerzo por obtener la mayor cantidad posible de horas de servicio centrado en el niño. Pero en realidad nadie mejor que tú sabe que cuando los maestros y terapeutas se marchar a su casa al término de la jornada, tú pasas con tu hijo las veinticuatro horas del día, siete días por semana, tratando de sintonizar con él. De ahí la importancia de saber lo que tienes que hacer para trabajar y jugar eficazmente con tu pequeñín en el contexto de la familia y también de la comunidad.

Durante la reunión del PSFI, asegúrate de comprender qué tipo y qué combinación de servicios están recomendando para tu hijo, evalúa hasta qué punto se adapta el programa previsto a la lista de prácticas eficaces descritas en este capítulo, y no te olvides de preguntar si los servicios propuestos están especializados en autismo y si los terapeutas tienen experiencia y formación en el trabajo con niños autistas, dos factores fundamentales en la determinación del éxito de la intervención.

Desafortunadamente, habida cuenta de que los programas nacionales para autismo infantil suelen tener recursos limitados, no siempre pueden ofrecer todos los servicios que deseas. Por esta razón, en ocasiones los padres deciden, cuando la economía familiar lo permite, complementar las prestaciones de la Seguridad Social con terapias o programas adicionales en centros terapéuticos privados.

Si es tu caso, no tardarás en descubrir que las posibilidades son prácticamente ilimitadas. El campo del autismo está lleno a rebosar de mil y una intervenciones diferentes, muchas de las cuales aseguran ser la «mejor» o incluso la «única» forma de ayudar a tu hijo. En las secciones siguientes se hacen algunas sugerencias para seleccionar las opciones de tratamiento más adecuadas que encontrarás cuando empieces a investigar por tu cuenta y se examinan dos categorías de tratamientos: los programas «de marca» y las terapias complementarias y alternativas.

PROGRAMAS «DE MARCA»

Existen algunos programas «de marca» para niños con autismo que cuentan con una popularidad especial de los padres que han decidido pagar terapias privadas, aunque por desgracia no puedo citarte ninguno como el mejor para tu hijo. Todos parten de filosofías diferentes y usan enfoques diversos, y dado que el autismo afecta de un modo igualmente diferente a cada niño, ningún programa puede ser calificado de «correcto» para todos ellos. Los estilos de familia también varían. Algunos padres se sienten más cómodos con un enfoque estructurado o de «práctica infatigable», mientras otros prefieren un perfil profundamente arraigado en el juego o el establecimiento de relaciones interpersonales. Mientras te devanas los sesos en un mar de información, ten muy en cuenta dos factores muy importantes:

1. *Ninguna «marca» de programa de intervención precoz ha demostrado ser mejor o superior a otra.*
2. *Ninguna intervención específica será «correcta» para todos los niños autistas.*

Memoriza por favor estas dos cuestiones y no dejes de pensar en ellas mientras continúas buscando. De algún modo pueden incluso complicarte aún más si cabe la elección de un programa de intervención. Sin ningún programa ideal que supere a todos los demás, no tienes otra alternativa que elegir uno entre otros muchos que podrían resultar igualmente satisfactorios para potenciar el aprendizaje de tu hijo. La mejor manera de afrontar esta difícil elección es: 1) comprender los componentes de las intervenciones eficaces descritas anteriormente; 2) considerar las necesidades únicas y exclusivas de tu hijo y del resto de la familia, y 3) reunir la mayor cantidad de información posible acerca de cada programa. Dado que no hay dos niños autistas iguales, al igual que tampoco hay dos familias idénticas, la intervención que puede necesitar otra familia puede no ajustarse a las características de la tuya. He incluido el modelo «Preguntas a formular acerca de los tratamientos del autismo» (Figura 4.1) para que te resulte más fácil recopilar información específica sobre los diferentes tratamientos y programas de terapia, y poder así tomar una decisión más informada.

En este modelo de formulario encontrarás preguntas que cubren varios aspectos importantes de una intervención precoz. Necesitas conocer el programa, los terapeutas y tu propia implicación, comprendiendo sus objetivos y cómo se medirán los progresos. También

---

☺ HABLAN LOS PADRES
Lo que piensan sobre la intervención precoz

- La falta de información en el momento del diagnóstico acerca de lo que estos niños pueden conseguir en el futuro puede desconcertar y frustrar a los padres. Pero entonces los terapeutas nos dijeron que podíamos hacer muchos progresos y que nuestro hijo podía aprender. Eran cosas que sabía en lo más profundo de mi corazón pero que necesitaba oír por boca de un profesional. No necesitaba parámetros ni cifras; sólo que confirmaran mi esperanza en un desarrollo potencial (madre de un niño de nueve años).

- No esperes a que empiece la intervención. Confío en que el autismo se puede curar si intervienes cuanto antes y recanalizas el crecimiento cerebral de tu hijo a una temprana edad (padre de una niña de tres años diagnosticada a los veintisiete meses).

- Había recopilado muchísima información sobre posibles tratamientos para mi hijo y llenado un montón de libretas de anillas. Tantas posibilidades y ningún resultado garantizado. Me alegra que el médico disipara toda aquella confusión proporcionándome una relación detallada que explicaba exactamente lo que necesitaba para ayudar a mi hijo (madre de un niño de veinticuatro meses diagnosticado a los diecinueve).

- La intervención precoz ayuda mucho. En diecisiete meses mi hijo ha pasado de un estado prácticamente no verbal a hablar constantemente. ¡Su logopeda dice que a veces incluso tiene que decirle que espere su turno para hablar! (madre de un niño de cuatro años diagnosticado a los treinta y tres meses).

---

es esencial saber cómo trabajarán los terapeutas con otros terapeutas que puedan estar ya tratando a tu hijo. Y, por supuesto, tienes el derecho de saber qué tipo de investigaciones se han realizado en esta terapia o tratamiento y cuáles han sido los resultados.

Haz varias copias de la Figura 4.1, identifica cuidadosamente en el encabezamiento de cada formulario la terapia específica que estás

FIGURA 4.1. Preguntas a formular acerca de los tratamientos del autismo.

Programa: _____

Lugar: _____

Horas/semana: _____ Coste: _____

CONTENIDO DEL PROGRAMA

¿En qué área(s) de desarrollo se centra el tratamiento?
(p.e., lenguaje, comunicación, juego individual con juguetes, imitación, juego con iguales, interacciones sociales, comportamiento, habilidades preacadémicas, habilidades de trabajo, formación de los padres)

¿Cómo se identificarán los objetivos específicos para mi hijo?

¿Qué enfoque(s) se utilizarán para enseñar a mi hijo?

¿Qué enfoque(s) se utilizarán para tratar el comportamiento de mi hijo?

MEDICIÓN DE LOS PROGRESOS

¿Cómo sabré si mi hijo está progresando? ¿Qué tipos de mejoras debería esperar?

¿Cuánto deberé esperar antes de observar cambios?

¿Cómo sabremos que mi hijo está haciendo progresos? ¿Cómo se medirán los progresos?

¿Con qué frecuencia se evaluarán los progresos?

¿Qué ocurrirá si mi hijo no mejora con este tratamiento?

FIGURA 4.1. Preguntas a formular acerca de los tratamientos del autismo *[continuación]*.

CUALIFICACIONES DEL TERAPEUTA

¿Con cuántos niños autistas ha trabajado? _____

¿De qué edades? _____

¿Trabaja también con niños mayores de tres años?

¿Qué cualificaciones tiene? ¿Qué formación ha recibido?

¿Está en posesión de un título o diploma profesional? (si es así, especificar)

¿Está asociado a un colegio profesional? (si es así, especificar)

¿Cuáles considera que son sus mayores habilidades trabajando con niños autistas?

¿En qué se diferencia el trabajo con niños autistas del trabajo con otros niños?

¿Qué tipos de cuestiones o problemas consideraría fuera del ámbito de su experiencia?

EVIDENCIA CIENTÍFICA DE EFICACIA

¿Existen investigaciones que respalden la eficacia de este tipo de tratamiento? (aportar detalles y fotocopia de artículos publicados)

¿Han demostrado las investigaciones que este tratamiento es mejor que otros?

IMPLICACIÓN PROFESIONAL

¿Quién se encargará de la intervención directa con mi hijo?

¿Cuál es su formación académica y su experiencia?

¿Quién lo supervisará? ¿Cómo se realizará la supervisión?

¿Con qué frecuencia verá a mi hijo?

IMPLICACIÓN PATERNA

¿Podré participar en el tratamiento?

¿Me enseñará a trabajar con mi hijo? ¿Cómo?

¿Qué tipos de habilidades me enseñará? (ejemplos)

COMPATIBILIDAD CON OTROS TRATAMIENTOS

¿Cuántas horas semanales de tratamiento necesitará mi hijo?

¿Es compatible su tratamiento con otras intervenciones en las que está participando mi hijo?

¿Cómo colabora con otros terapeutas que están trabajando con mi hijo? (ejemplos) evaluando y responde a las preguntas. Esto te proporcionará la información objetiva que necesitas para asegurarte de que la intervención precoz que recibe tu hijo cuenta con un sólido registro de ensayos científicos y prácticas de probada eficacia en el tratamiento de niños autistas.

Tanto si decides como si no seguir alguna de las opciones de tratamiento siguientes, es importante familiarizarse con ellas para disponer de un vocabulario de trabajo de términos específicos en este nuevo mundo del autismo en el que ahora figuras oficialmente como miembro. Esta breve visión general de las cuatro intervenciones más comunes te dotará de una comprensión básica de sus métodos y enfoques teóricos, lo cual te situará en una posición más ventajosa para explorar y hacer un seguimiento de los programas que consideres más apropiados para tu hijo y tu familia.

Modelo de trabajo en el suelo basado en el desarrollo, la diferencia individual y la relación (DIR)

El modelo DIR fue desarrollado por los doctores Stanley Greenspan y Serena Wieder. Se basa en la teoría de que los niños autistas experimentan una variedad de trastornos biológicos en las áreas del proceso sensorial y planificación motora que les dificultan la interacción, la comunicación y el aprendizaje. El DIR potencia el desarrollo emocional del niño a partir de un modelo basado en la relación en el que los padres y otros adultos interactúan con él de formas específicas para fomentar su desarrollo socio-emocional, comunicativo y cognitivo.

El aspecto «en el suelo» es un componente fundamental de este enfoque. Se trata de un período de veinte a treinta minutos en el que papá o mamá se sienta en el suelo con su hijo y juega con él siguiendo su liderazgo, elaborando sus pautas lúdicas y estableciendo una interacción cálida y positiva. Hasta la fecha no se han realizado estudios científicos controlados sobre la eficacia del enfoque DIR.

Intervención precoz intensiva del comportamiento (IPIC)

Este enfoque, desarrollado por el doctor Ivar Lovaas, implica el uso de una técnica ACA específica (entrenamiento de ensayos discretos) que se desarrolla en un programa intensivo de cuarenta horas semanales.

El entrenamiento de ensayos discretos se realiza en un entorno cara a cara con un adulto y está diseñado para potenciar las habilidades y mejorar los comportamientos. Consiste en desglosar las habilidades en elementos individuales y enseñárselos al niño de uno en uno de una forma superestructurada. Cada prueba consta de tres etapas que se suceden rápidamente: el adulto da una instrucción (p.e., «Señala el círculo»), el niño responde (correcta o incorrectamente), y el adulto le ofrece un *feedback* inmediato (p.e., «Correcto» o «Inténtalo de nuevo»). Cada episodio de enseñanza implica la repetición de muchos ensayos discretos. Algunas investigaciones corroboran las ventajas del entrenamiento de ensayos discretos como un instrumento pedagógico, si bien es cierto que los resultados iniciales de mejoras espectaculares en niños participantes en IPIC no han sido replicadas aún por otros científicos.

Intervención de desarrollo de relación (IDR)

La IDR es un tratamiento basado en la participación de los padres desarrollado por el doctor Steven Gutstein e introducido por primera vez en el año 2001. Está diseñada para mejorar la calidad de vida de los niños con autismo abordando déficits tales como el pensamiento rígido y la dificultad en la comprensión de los pensamientos y sentimientos de los demás. Mediante la IDR se proporciona a los pequeños la motivación y los instrumentos necesarios para compartir experiencias con otras personas e interactuar satisfactoriamente con los amigos y la familia. Entre sus objetivos se incluye el desarrollo de la empatía, el pensamiento flexible y la resolución creativa de problemas. Hasta la fecha no se han realizado estudios científicos controlados de evaluación de la eficacia del modelo IDR.

Enseñanza estructurada

El enfoque de la enseñanza estructurada fue desarrollado por TE-ACCH (Treatment and Education of Autistic and Related Communication Handicapped Children), un programa estatal estadounidense fundado en 1972 por el doctor Eric Schopler en la Universidad de Carolina del Norte. Este programa destaca la evaluación individualizada de los puntos fuertes, intereses, necesidades y estilos de aprendizaje del niño y la implantación de actividades apropiadas para potenciar la adquisición de habilidades y un funcionamiento independiente.

La enseñanza estructurada es un componente muy importante de la filosofía del TEACCH y se refiere a un sistema que hace un énfasis muy especial en el poder del aprendizaje visual característico del autismo. La enseñanza estructurada crea un entorno visualmente claro y organizado que sirve para comunicar expectativas e incrementar la predecibilidad de los niños autistas. Entre sus técnicas figuran el uso de linderos físicos para separar diferentes áreas de actividad, esquemas visuales para transmitir la secuencia de actividades y otras formas de apoyos de índole visual para fomentar el éxito, desarrollar las habilidades organizativas y potenciar la independencia. Algunas investigaciones han demostrado los beneficios derivados del uso de la enseñanza estructurada en niños autistas.

TRATAMIENTOS COMPLEMENTARIOS Y ALTERNATIVOS

Además de los distintos programas de aprendizaje públicos y privados disponibles para los niños con autismo, existen también innumerables tratamientos alternativos, llamados a menudo MCA, o Medicina Complementaria y Alternativa. El término MCA hace referencia a prácticas y productos médicos y asistenciales que no forman parte de los cuidados o procedimientos médicos estándar. Algunas terapias de MCA se usan a modo de complemento de tratamientos sanitarios convencionales, y en otros casos los sustituyen.

Aunque existen muchos tipos diferentes de terapias de MCA, todas ellas comparten algo en común: la falta de evidencias científicas que corroboren su eficacia o su seguridad en el tratamiento de los síntomas y condiciones para las que se usan. En el caso de algunos tratamientos, aún no se han efectuado estudios científicos rigurosos; en otros, se han realizado investigaciones, pero sus discutibles resultados impiden extraer conclusiones definitivas; y en el caso de otros, en fin, las investigaciones han fracasado rotundamente en su intento de demostrar efectos positivos.

A pesar de todo, la popularidad de las terapias de MCA es cada vez mayor. En realidad, se estima que entre el 30 y el 50 % de los niños autistas en Estados Unidos pueden estar recibiendo algún tipo de tratamiento complementario o alternativo.[4]

Existen varias posibles razones que justifiquen el incremento de popularidad de tratamientos no probados científicamente. Una de ellas es que a menudo anuncian la promesa de una cura. Para un trastorno como el autismo, del cual hasta la fecha aún se desconocen sus causas y por supuesto su cura, esta promesa puede infundir a los padres un optimismo y una esperanza que no pueden encontrar en ninguna otra parte.

Otra razón del atractivo de las terapias alternativas es el tipo de cobertura informativa que con frecuencia reciben. Las historias televisivas sobre asombrosas respuestas a nuevas terapias despiertan el interés y la atención de los telespectadores y también de los patrocinadores. Los testimonios personales de padres que se hallan en una situación similar a la tuya pueden influir en ti de una forma inusitada aunque se presenten en la más absoluta ausencia de pruebas científicas.

Finalmente, la accesibilidad a Internet ha multiplicado por mil nuestra exposición a la miríada de tratamientos no probados científicamente que se comercializan a través de sofisticadas técnicas de marketing en lugar de apelar al resultado de investigaciones que demuestre su eficacia.

Si eliges la MCA, anda con tiento. Ni que decir tiene que deseas ofrecer a tu hijo todas las ventajas y oportunidades y que probablemente estés abierto a cualquier cosa que te asegure una mejora. Pero sé cauteloso y no pierdas de vista el verdadero objetivo: la salud y las necesidades del niño. Estos tratamientos pueden ser bastante caros y algunos han estado asociados a efectos secundarios negativos graves. El mero hecho de que una terapia se anuncie como «natural» no significa que sea segura. No dejes, pues, que el optimismo nuble el sentido común. Así pues, por ejemplo, nunca deberías sustituir una terapia del habla por un tratamiento alternativo no probado como una desintoxicación de metales pesados.

En cualquier caso, si decides probar un tratamiento alternativo, ten en cuenta las dos directrices siguientes:

1. Implica al pediatra en la decisión. Aunque se muestre en desacuerdo con tus opiniones, debes estar dispuesto en todo momento a conocer los posibles efectos secundarios o interacciones farmacológicas que se podrían producir. Asimismo, el pediatra también puede orientarte en la forma más segura de la intervención que elijas y controlar los progresos del niño.
2. Lee en este mismo capítulo la sección que explica el método científico de evaluación de la eficacia de los tratamientos. Te ayudará a tomar una decisión más fundada y probablemente mucho más beneficiosa para tu hijo.

En las secciones siguientes se describen algunas opciones de MCA que se anuncian para niños con autismo. No he entrado a describirlas en detalle porque no existen evidencias suficientes de que mejoren los síntomas de este trastorno; de ahí que se llamen «alternativas». Son algunos de los tratamientos alternativos más populares de los que puedes oír hablar a diario, aunque tú y yo sabemos que tal vez mañana puede aparecer una nueva marca que arrase en los *chats* de Internet reivindicando su absoluta superioridad sobre todos los demás programas.

Suplementos dietéticos

Los suplementos dietéticos figuran entre las terapias de MCA más utilizadas. Aseguran que los niños autistas tienen una deficiencia en determinadas sustancias bioquímicas importante para el funcionamiento óptimo del cerebro o las respuestas inmunológicas. Las dosis sugeridas de estos suplementos suelen ser superiores a las de la ingesta diaria recomendada, y la información acerca de sus efectos secundarios a largo plazo es limitada. Los ingredientes específicos no están regulados por la FDA, de manera que pueden variar ampliamente de una marca comercial a otra o incluso entre lotes de la misma compañía. Sé prudente por favor.

Vitamina B$_6$ y magnesio. La vitamina B$_6$ (piridoxina) desempeña una función vital en la síntesis de importantes neurotransmisores, tales como la serotonina y el ácido gamma-aminobutírico (AGAB). Algunos creen que la vitamina B$_6$ junto con el magnesio, necesario para que la vitamina sea eficaz, puede aliviar los problemas del comportamiento, mejorar el contacto visual y el período de atención, y desarrollar la habilidad de aprendizaje. Sin embargo, entre los efectos secundarios de este tratamiento se incluye la hiperactividad e irritabilidad. Asimismo, las dosis de vitamina B$_6$ a largo plazo se han asociado a la neuropatía periferal, que provoca hormigueo en las manos y los pies.

Vitamina C. La vitamina C (ácido ascórbico) interviene en la síntesis de neurotransmisores además de actuar como antioxidante y regulador de la función inmune celular. Se cree que alivia los síntomas del autismo, especialmente las conductas estereotipadas. En altas dosis puede provocar trastornos gastrointestinales, incluida la diarrea, o cálculos renales.

Vitamina A. La vitamina A se encuentra en estado natural en el aceite de hígado de bacalao e interviene en la estimulación de la respuesta inmune del organismo. Hay quien dice que la respuesta inmune específica modulada por la vitamina A queda interrumpida por la administración de la vacuna triple vírica (sarampión, rubéola y parotiditis) en los niños, y que una terapia a base de vitamina A puede solucionar el problema. En dosis elevadas la vitamina A (la contenida en una cucharadita de algunos preparados de aceite de hígado de bacalao, por ejemplo) puede producir diferentes efectos secundarios graves, muy especialmente en los niños pequeños.

Dimetilglicina (DMG). La DMG es un suplemento alimenticio que al parecer interviene en la síntesis de neurotransmisores y potencia la función inmune. Se ha dicho que mejora la habilidad de lenguaje y el comportamiento en los niños con autismo, aunque los estudios clínicos sistemáticos no han concluido que sea más eficaz que un placebo (un suplemento sin contenido en DMG) en el alivio de los síntomas de este trastorno.

Ácidos grasos. Se cree que los ácidos grasos esenciales y los ácidos grasos omega-3 intervienen en la producción de prostaglandinas, que pueden afectar al funcionamiento del cerebro y otros sistemas. Sin embargo, una investigación controlada realizada con niños con TDAH no reveló que un suplemento de ácidos grasos aliviara los síntomas clínicos. Hasta la fecha no se han realizado estudios comparables con niños autistas.

Dietas de eliminación

La dieta de eliminación más común utilizada en el tratamiento de los niños con autismo es la dieta sin gluten y sin caseína (SG-SC), que parte de la base de que la causa del autismo reside en deficiencias en el funcionamiento del sistema gastrointestinal. Algunos expertos creen que los niños con autismo sufren un síndrome de «fuga estomacal» que conduce a una incapacidad para descomponer completamente proteínas tales como el gluten (presente en productos ricos en trigo, cebada, avena y centeno) y la caseína (presente en la leche de vaca y otros productos lácteos). Según la hipótesis acerca de la relación entre aquella fuga estomacal y el autismo, fragmentos de las proteínas alimenticias parcialmente digeridas son absorbidos en el sistema y actúan a modo de opiáceos, provocando síntomas tales como una interacción social disminuida, comportamientos repetitivos, menor sensibilidad al dolor y desequilibrios en el aprendizaje. Se cree que la dieta SG-SC mejora los síntomas de autismo reduciendo la ingesta de las proteínas mal digeridas.

A este respecto existen muy escasas evidencias científicas que apoyen la teoría de la relación entre la fuga estomacal y el autismo o de la dieta SG-SC propiamente dicha. Antes de iniciar este tratamiento se deberían tener en cuenta cuestiones de nutrición, coste y dificultad para mantener la dieta.

Agentes biológicos

Los agentes biológicos que se usan en el tratamiento de otras condiciones médicas, tales como la esclerosis múltiple, trastornos digestivos e intoxicación por plomo, se han utilizado experimentalmente para tratar a niños con autismo. Los tres tratamientos más comunes en esta categoría de los que seguramente oirás hablar durante tus indagaciones acerca de la intervención precoz más adecuada para tu hijo son la inmunoglobulina intravenosa, la quelación y la secretina.

Inmunoglobulina intravenosa (IG-IV). La inmunoglobulina intravenosa es un producto derivado del plasma que se utiliza en el tratamiento de diferentes trastornos neurológicos (esclerosis múltiple, etc.) cuya causa reside, según se cree, en deficiencias inmunológicas. Su uso se ha extendido al autismo a partir de la teoría que asegura que las anomalías o deficiencias del sistema inmunológico también están presentes en el autismo e incluso pueden provocarlo. No se han realizado aún estudios científicos sistemáticos sobre la IG-IV, y algunos efectos secundarios de este tratamiento no se han descrito.

Quelación/Desintoxicación de metales pesados. El proceso de quelación implica la administración de fármacos específicos para eliminar los metales pesados u otras toxinas del organismo. El exceso de metales pesados puede interferir en la función cerebral y otras funciones sistémicas. La quelación se ha utilizado para reducir los niveles de plomo en individuos que presentan niveles peligrosamente altos de este metal en el torrente sanguíneo. El uso de la quelación en los niños con autismo deriva de la creencia de que este trastorno está causado por niveles excesivamente elevados de mercurio, que se acumula en los tejidos orgánicos como resultado del contenido de timerosal en las vacunas infantiles.

El agente quelacionante más común es el ácido dimercaptosucínico (DMTC). El tratamiento de la quelación de mercurio es especialmente polémica por diferentes razones: 1) el mercurio ya no se utiliza en las vacunas infantiles; 2) innumerables estudios a gran escala no han conseguido demostrar una posible relación entre el timerosal y el autismo, y 3) el DMTC puede tener graves efectos secundarios, incluyendo dolor abdominal y toxicidad hepática.

Secretina. La terapia de secretina es uno de los mejores ejemplos de cómo el poder de los medios de comunicación y las campañas de marketing pueden propagar el uso de un tratamiento antes de que se haya estudiado sistemáticamente su eficacia mediante investigaciones científicas. Hace algunos años, una cadena de televisión de Estados Unidos emitió un programa sobre tres niños autistas cuyos síntomas habían desaparecido tras haberles administrado secretina durante un test diagnóstico (endoscopia) para trastornos digestivos. (La secretina es una hormona gastrointestinal utilizada para evaluar el funcionamiento del páncreas.) Los informes anecdóticos y el testimonio de padres en aquel programa hizo que miles de padres se decidieran por este tratamiento para sus hijos. Desde entonces, se han realizado múltiples estudios de ensayo clínico controlados y sus resultados se han publicado en revistas científicas, lo cual implica una revisión rigurosa de los mismos por parte de otros expertos en la materia. Estos estudios no han corroborado aquellos resultados: la secretina no es más eficaz que un placebo en la mejora de los síntomas del autismo. Es irónico que una terapia ineficaz como ésta se haya convertido en uno de los tratamientos más cuidadosamente estudiados e investigados en el ámbito de los trastornos infantiles.

Otras terapias alternativas

Si tecleas en un buscador de la Web «MCA y autismo» encontrarás innumerables entradas. Como es natural, son incontables las personas que creen haber dado con la cura y desde luego no puedo comentar todos los casos. Las dos únicas terapias alternativas que me gustaría mencionar son el Adiestramiento de Integración Auditiva y la Comunicación Facilitada, con las que sin duda te toparás durante tus averiguaciones y de las que, por lo tanto, deberías conocer básicamente.

Adiestramiento de Integración Auditiva (AIT). El AIT fue desarrollado por el doctor Guy Berard, un otorrinolaringólogo francés, para tratar individuos con dificultades de proceso auditivo, especialmente la hipersensibilidad acústica. Implica la exposición repetida a diferentes sonidos a través de auriculares para «readiestrar» el oído y mejorar la forma en la que el cerebro procesa la información auditiva. La teoría de partida afirma que las distorsiones en el proceso auditivo pueden desencadenar problemas conductuales y de aprendizaje. Aunque algunos especialistas han reivindicado mejoras en el lenguaje, la atención y la interacción social, lo cierto es que no existen estudios científicos controlados que apoyen tales afirmaciones. El AIT no está homologado por la Academia Americana de Pediatría.

Comunicación facilitada (CF). La CF es un método de comunicación en el que el niño teclea mensajes en un teclado u otro dispositivo de comunicación mientras un «facilitador» le sujeta la mano (posición «mano sobre mano») para acompañar sus movimientos. Esta terapia se basa en una teoría según la cual los trastornos motores graves impiden a los niños con autismo aprender más métodos de comunicación convencionales y que incluso individuos con un grave retraso mental tienen un potencial comunicativo y cognitivo normal. En opinión de algunos expertos, la CF proporciona a los niños autistas un medio de expresión de sus verdaderas habilidades y de sus sentimientos interiores a través de la poesía o de conversaciones intelectuales. Las investigaciones sistemáticas y controladas de la CF no han mostrado evidencia alguna de la eficacia de este tratamiento. En realidad, los resultados revelan que una buena parte de la comunicación tiene su origen en el facilitador y no en el niño. A la luz de estas conclusiones, diversas organizaciones profesionales, incluyendo la Asociación Americana de Retraso Mental, la Academia Americana de Psiquiatría Infantil y Mental, la Asociación Americana del Habla-Lenguaje-Oído y la Asociación Americana de Psicología han adoptado una postura formal de oposición a la CF.

EVALUACIÓN DE LOS TRATAMIENTOS DEL AUTISMO

En este capítulo hemos examinado algunas de las terapias y tratamientos disponibles para los niños autistas, incluyendo los de prestación pública, privada y otros tratamientos alternativos de los que habrás oído hablar o habrás leído en libros, revistas, artículos de prensa y programas de televisión y respecto a los cuales podrías estar considerando la posibilidad de probarlos. Pero ¿cuáles son los mejores? Es una pregunta que me formulan a diario los padres y a la que por desgracia ni yo ni nadie podemos responder.

Desconocemos cuáles son las intervenciones que funcionan «mejor» en relación a qué síntomas del autismo y a qué niños. Lo que sí sabemos, sin embargo, es que algunas han demostrado repetidamente su eficacia en estudios que usan el método científico de evaluación, y que son las terapias a las que deberías prestar una mayor atención durante este período de indagaciones para evitar caer en la tentación de contratar programas que sólo apelan a tu vulnerabilidad emocional.

El método científico

El método científico se utiliza para estudiar un fenómeno de una forma objetiva y sin sesgo. Ayuda a los investigadores a diferenciar entre hechos y creencias. Por ejemplo, si sospecho que me voy a resfriar, podría tomar una tableta a base de hierba equinácea. Si al día siguiente no advierto síntoma alguno de resfriado, sería fácil concluir que la equinácea ha curado mi sintomatología. Pero sería una explicación insuficiente. Los síntomas podrían haber mejorado porque me acosté temprano y descansé más; porque ingerí muchos líquidos, o porque la irritación de garganta no era realmente una señal de enfriamiento, sino una respuesta alérgica que remitió por sí sola. La única forma de asegurar que la equinácea contribuye a prevenir los síntomas del resfriado es utilizar el método científico para estudiar su eficacia de una forma cuidadosa, sistemática y controlada que permita descartar otras posibles causas del alivio de los síntomas.

Lo mismo se aplica a los tratamientos del autismo. Si los padres de Ben añaden suplementos de vitamina A a su dieta y observan una mejoría, pueden creer que este tratamiento ha sido eficaz. Si luego, en un *chat* o un programa de televisión, otros padres corroboran los excelentes resultados que han obtenido con la vitamina A, pueden pensar que la mejoría de Ben se debe realmente a este tratamiento, y si finalmente leen en una página Web que diez niños en un «estudio» mostraron una considerable mejoría con aquel suplemento vitamínico, el convencimiento puede ser absoluto. Pero en realidad, la información de la que disponemos es insuficiente.

Esto es así porque sólo conocemos una parte de la historia, los éxitos del tratamiento. Las historias de éxito hacen las noticias. No sabemos a cuántos niños se administró el tratamiento y no mejoraron, ni tampoco a cuántos no se les administró y mejoraron igualmente.

Por ejemplo, los padres de Ben pueden mostrarse menos entusiastas con la eficacia de la vitamina A si descubren que en aquel «estudio» en el que diez niños mostraron mejorías, participaron un total de cincuenta pequeños.

Y más descorazonador puede incluso resultar enterarse de que en otro grupo de cincuenta niños que no usaron el tratamiento, treinta mejoraron. (La lista que sigue resume los resultados de este estudio.) Así pues, de estas cifras se deduce que mejoraron más niños sin el tratamiento que con él. Aunque se trata de un ejemplo muy simplificado, espero que ilustre la necesidad de disponer de información acerca de los niños en los cuatro cuadrantes de esta lista para poder tomar decisiones fundamentadas acerca de las opciones de tratamiento.

	Usaron el tratamiento	*No usaron el tratamiento*
Mejoraron	10	30
No mejoraron	40	20
Total	50	50

Es imposible saber si una intervención funciona o no hasta que se somete a un test científico. Las investigaciones deben estar diseñadas de una forma que asegure que cualquier mejoría observada tenga su origen en el tratamiento propiamente dicho y no en factores no específicos del mismo. Veamos un ejemplo. Uno de los efectos de tratamiento no específico más conocidos es el efecto placebo, un curioso fenómeno que ha sido demostrado en reiteradas ocasiones. Si simplemente esperamos o creemos que un tratamiento dará resultado, a menudo experimentamos síntomas de mejoría. (En el caso de los niños a los que se administra el tratamiento, el efecto placebo se aplica a los padres.)

Nadie sabe con exactitud cómo o por qué funciona el efecto placebo, pero apuesto a que en alguna ocasión habrás programado una visita con tu médico porque no te habías sentido demasiado bien y luego has experimentado una notable mejoría una vez concretada la cita.

Cuando se diseña un estudio, también hay que evaluar el efecto placebo. Si un suplemento dietético se administra en polvo, algunos de los niños de la muestra deberían tomar el mismo polvo pero sin el suplemento. Ni el niño ni su familia deben saber si el polvo contenía o no el suplemento. Es lo que se conoce como estudio «ciego». De este modo se pueden determinar objetivamente los efectos del tratamiento.

El enfoque cauto

Sólo utilizando experimentos cuidadosamente diseñados podemos asegurar si una intervención da o no da resultados. Algunos investigadores estudian la eficacia de tratamientos mediante tests de grupo, en los que una muestra determinada de niños a los que se administra el tratamiento (grupo experimental) se compara con otro grupo al que no se administra (grupo de control). Se procura que ambos grupos sean lo más similares posible antes del tratamiento para que las diferencias que se puedan descubrir deriven probablemente del tratamiento propiamente dicho y no de las diferencias entre los grupos de niños. En la mayoría de los casos, al grupo de control se le administrará un tratamiento distinto, pero nunca quedarán sin tratar. De este modo los padres en los dos grupos tendrán similares expectativas de mejoría.

Otros investigadores utilizan diseños de «caso único» en los que un reducido número de niños es sometido a un estudio intensivo durante un prolongado período de tiempo. Los comportamientos específicos se observan durante la fase de intervención y no intervención, manipulando sistemáticamente las condiciones del tratamiento, y finalmente se examinan las diferencias en las pautas de conducta observadas durante aquellas etapas para determinar su eficacia.

En el diseño e interpretación de los estudios de investigación se han establecido estándares para determinar la eficacia de una intervención.[5] Los tratamientos que reúnen ciertos criterios se consideran validados empíricamente, o tratamientos de eficacia probada. Por regla general, se requieren diez estudios de caso único que demuestren la eficacia de una intervención para que ésta se considere válida, y en cuanto se refiere a los estudios de diseño de grupo, se exigen dos estudios que dictaminen que la intervención evaluada es superior a otra intervención alternativa. Para ambos tipos de estudios, las evidencias de eficacia deben ser corroboradas por diferentes grupos de investigación para asegurar que los descubrimientos se pueden replicar por científicos en diferentes lugares, diferentes instituciones y utilizando muestras igualmente diferentes.

Como verás, el método científico no es fácil ni rápido. No permite saltar a las conclusiones o divulgar falsas esperanzas. Es metódico, exacto y regular. No en vano la salud del niño depende de sus conclusiones. Sabiendo cómo funciona la verdadera investigación, sin duda puedes mostrarte mucho más escéptico ante tratamientos sensacionalistas etiquetados de «eficacia probada». Los padres de Ben pudieron haber sentido curiosidad por el estudio que mostraba una mejoría en los síntomas en diez niños, pero fueron lo bastante inteligentes como para tener en cuenta el número de niños que no experimentaron mejoría alguna. También sabían que los resultados positivos podían ser el resultado de otros factores (madurez de los niños, otras terapias paralelas, etc.) que no se controlaron durante el estudio.

Ahora también tú sabes por qué debes mostrarte cauto. Existen innumerables terapias y tratamientos en circulación para el autismo que se alimentan de la desesperación de los padres y su predisposición a comprar a ciegas cualquier intervención simplemente porque ofrece una esperanza de curación. Por el bien del futuro de tu hijo, que dependerá siempre de una intervención precoz apropiada, procura tomar tus decisiones a partir de un sólido conocimiento científico.

Lista rápida de eliminación

Este proceso rápido de eliminación[6] puede resultar muy útil para los principiantes. Muéstrate automáticamente escéptico ante cualquier tratamiento del siguiente tenor:

- Ofrece una cura para el autismo.
- Promete eficacia para todos los niños.

- Garantiza una mejoría en todos los síntomas del autismo.
- Requiere adoptar las «creencias» del anunciante (por ejemplo, te pide que «creas» en cosas que carecen de sentido común o asegura que el tratamiento no funcionará a menos que «creas» en él).
- Consiste en un kit general o currículum predeterminado que no se ha diseñado a la medida de las necesidades del niño.
- No ofrece evaluaciones rutinarias y periódicas de los progresos del niño y la eficacia del tratamiento.
- Asegura ser «el mejor» tratamiento para tu hijo o «el único» que tu hijo necesita.

Puedes seguir adelante con cualquier programa o tratamiento que haya superado este proceso de eliminación a partir de la información y las cuestiones analizadas en este capítulo.

UNA HISTORIA DE DETECCIÓN PRECOZ: TERCERA PARTE

Judy, la madre de Luke, continúa la historia familiar.

Bien, Jeff y yo estábamos convencidos de que enterarnos del diagnóstico de nuestro hijo sería la parte más dura de todo el proceso, pero poco podíamos imaginar lo que vendría a continuación. Lo primero que hice al llegar a casa fue empezar a buscar información sobre el autismo y las posibles terapias en Internet. Para ser sincera, me considero una persona bastante experimentada en la Web, pero me sentí absolutamente perdida tras haber hurgado todo el día entre tan desmesurada cantidad de datos. Me acosté desesperada y aterrada. Afortunadamente, el psicólogo me había facilitado el teléfono de la Asociación para Padres de Niños Autistas y ya había programado una cita con mi contacto, Stacie, en el ambulatorio, de manera que llamé al día siguiente y enseguida me orientaron en la dirección correcta.

El informante en la Asociación me dio los nombres y números de teléfono de otros padres de hijos autistas. Así pues, podía contactar con ellos en cualquier momento, pero desde luego aún no me sentía preparada para hacerlo; estaba segura de que tan pronto como empezara a hablar con ellos, me echaría a llorar. También me dijeron que la Asociación organizaba una reunión de orientación una vez al mes para familias de niños recién diagnosticados. Lo hablamos y decidimos asistir a la siguiente convocatoria si nos sentíamos lo bastante fuertes. Quien me atendió al teléfono también era un padre y me sugirió que comprara un cuaderno en el que registrar toda la información sobre Luke. Luego descubrimos que había sido un excelente consejo.

Todavía no había hablado con mis padres acerca del diagnóstico de Luke. Temía que no aceptaran los resultados de la evaluación y que nos exigieran recabar una segunda opinión, cuando lo que realmente quería hacer en aquel momento era seguir adelante y diseñar un buen plan de intervención para el pequeñín. Pensé que sería mejor esperar hasta poder explicarles qué tipo de terapias recibiría Luke.

Cuando llamé a Stacie en el programa de la Seguridad Social, me habló del proceso del PSFI. Me dijo que empezaría con una reunión, ahora que ya se habían completado todas las evaluaciones, y de quién estaría presente. Le pregunté que me anticipara algo en relación con los tipos de servicios que podría recibir Luke con el diagnóstico en mano (para poder empezar a leer e informarme), pero me respondió que no lo sabría hasta el encuentro con el equipo del PSFI. Así pues, ¡de nuevo a esperar!

La reunión fue muy interesante. Diseñamos un plan de tratamiento que continuaba con la terapia logopeda dos veces por semana y la terapia ocupacional una vez por semana, a lo que añadimos una intervención de comportamiento tres veces por semana y una formación para padres una vez a la semana. Serían en total diez horas semanales de intervención en los diferentes centros clínicos además del correspondiente seguimiento en casa. Había leído que eran recomendables veinticinco horas semanales, de manera que pregunté si sería posible ampliar el tiempo. Stacie me dijo que inicialmente la sanidad pública sólo cubría aquel nivel de servicio. No tuve fuerzas para discutir, sobre todo porque todos los servicios eran gratuitos, aunque decidí que ya estaba preparada para hablar con otros padres para conocer otros tipos de tratamientos que estaban recibiendo sus hijos.

Acudimos a la reunión en la Asociación, donde todos se mostraron predispuestos a ofrecernos su apoyo y su ayuda incondicionales. Pero dado que no hay dos niños autistas iguales, cada familia estaba utilizando una combinación diferente de terapias que creían que eran las mejores para sus hijos. El problema era que no teníamos la menor idea de cuál sería la más indicada para Luke. Salimos de la reunión con optimismo, pero sin aún saber qué necesitaba realmente nuestro hijo. Así que decidimos probar con el programa que nos había propuesto Stacie y su equipo, sin cerrar las puertas a una posible búsqueda futura de otras alternativas llegado el momento. Por primera vez tenía la sensación de que por fin estábamos avanzando.

Preguntas más frecuentes

Mi hijo de dos años no habla, y su logopeda quiere que le enseñe a usar imágenes para comunicarse. Si se habitúa a las imágenes, ¿no resultará más difícil desarrollar su habilidad de lenguaje?

En absoluto. No se ha demostrado que la enseñanza de métodos de comunicación no verbales interfiera en la adquisición del lenguaje. Los niños que aún no utilizan la palabra hablada necesitan disponer de alguna forma eficaz de comunicar sus deseos a los demás, y en este sentido, los métodos no verbales son muy satisfactorios. Los niños con un desarrollo típico que sufren retrasos en el lenguaje son capaces de usar gestos para expresar sus necesidades, pero a menudo el desarrollo de la gesticulación suele sufrir desequilibrios en los niños con autismo, dejándolos sin medios de comunicación. Esto puede ser extremadamente frustrante para ellos, y también para los padres, y contribuir al desarrollo de trastornos en el comportamiento.

Una forma de enseñar métodos no verbales de comunicación a los niños autistas es el llamado Sistema de Comunicación por Intercambio de Imágenes, o SCII (PECS), desarrollado por el doctor Andy Bondy y Lori Frost. Se trata de un programa estructurado y secuenciado que se basa en los principios del ACA. Se enseña a los niños a mostrar símbolos gráficos a un adulto para recibir el objeto deseado. Las investigaciones indican que el SCII puede potenciar el desarrollo del lenguaje hablado además de mejorar los problemas conductuales.

¿Cuál debería ser la duración y la frecuencia de las sesiones de intervención?

No existe una combinación mágica de servicios o número de horas de intervención válida para todos los niños. Sin embargo, la comunidad médica suele recomendar un mínimo de veinticinco horas semanales de «intervención dirigida», es decir, de tiempo empleado en actividad productiva. La intervención dirigida se puede prestar individualmente o en grupo, en casa o en la escuela, y por los padres o profesionales.

Conozco algunos niños autistas más mayorcitos que están tomando medicaciones que controlan los síntomas, pero mi médico no me ha comentado esta posibilidad. ¿Sería aconsejable?

La terapia farmacológica (medicación) no se suele usar en niños pequeños con autismo. La mayoría de las medicaciones no han sido verificadas a estas tempranas edades, de manera que su seguridad y sus efectos a largo plazo se desconocen. Aunque los niños autistas mayores pueden tomar medicaciones para potenciar la atención, reducir la ansiedad o los comportamientos repetitivos, estos tipos de tratamientos casi nunca forman parte del régimen rutinario terapéutico.

Con las respuestas en mano a las preguntas del formulario «Preguntas a formular acerca de los tratamientos del autismo», tienes finalmente todo cuanto necesitas para tomar la mejor decisión posible en relación con la intervención precoz más adecuada para tu hijo. Ahora, cuando evalúes las terapias convencionales y consideres asimismo la posibilidad de realizar intervenciones adicionales, puedes sentirte satisfecho en lo más profundo de tu corazón por haber hecho todo cuanto estaba en tus manos para contribuir al desarrollo de tu hijo, o por lo menos casi todo. En el capítulo siguiente aprenderás a potenciar tú mismo los beneficios del programa de intervención. Existen innumerables juegos, actividades y prácticas diarias dirigidas a satisfacer las necesidades de los niños con autismo que puedes aprender a utilizar en la vida diaria con tu hijo.

❖ CAPÍTULO 5 ❖

En casa

Dotar a tu hijo de los servicios apropiados tal y como se ha descrito en el capítulo 4 no siempre es tarea fácil, pero cuando se inicie la intervención, los terapeutas trabajarán con él para mejorar sus interacciones sociales, habilidades de lenguaje y comunicación, y también de juego. Cabe esperar que su perfil exclusivo de habilidades y necesidades oriente las sesiones de terapia y que cada profesional diseñe las intervenciones a la medida de sus características y aborde sus déficits específicos. Esta atención precoz es clave para mejorar los retrasos en el desarrollo.

Tu participación también es crucial. Tu hijo necesita tu ayuda para aplicar todo lo que está aprendiendo a las actividades en casa y sus relaciones con la familia. A menudo los niños autistas tienen dificultades para generalizar nuevas habilidades a diferentes situaciones. De ahí que sea muy útil instruirlo en entornos cambiantes. Los terapeutas te darán ideas acerca de las técnicas pedagógicas más apropiadas, objetivos y actividades a realizar en casa.

En algunos programas los padres entran en escena de inmediato. Se les enseña a continuar la terapia en el entorno doméstico y a ayudar a sus hijos a usar sus nuevas habilidades en la vida cotidiana en sus interacciones con los miembros de la familia. Otros programas, en cambio, les facilitan escasa o nula información sobre el rol que deben desempeñar en la terapia, dando por supuesto que están recibiendo cuanto necesitan durante las sesiones. Una perspectiva sin duda desacertada, ya que cuanto mayor sea el seguimiento de la intervención en casa, más probable será la mejoría.

En este capítulo he incluido algunas sugerencias para actividades que puedes organizar en casa con tu hijo. Se centran en la mejora de sus habilidades en cuatro áreas que con frecuencia resultan complejas para los niños con autismo:

1. Interacción social
2. Comunicación
3. Juego funcional
4. Imitación

Ten en cuenta, no obstante, que estas actividades no se deberían utilizar como sustituto de una terapia profesional, sino como complemento de otras intervenciones. En realidad, sugiero que las comentes con los terapeutas para saber si son compatibles con el enfoque que están usando. En caso contrario, déjate aconsejar. Ellos te indicarán innumerables actividades para que trabajes en casa con el niño y potencies su desarrollo. Es importante que los profesionales sepan que estás abierto a colaborar y que esperas que te consideren parte del equipo terapéutico.

Si estás leyendo este capítulo antes de que los retrasos de tu hijo hayan sido evaluados y diagnosticados oficialmente, sigue adelante y prueba las actividades que prefieras. Tanto si finalmente lo diagnostican de autismo como si no, no lo perjudicarán, sino todo lo contrario.

ESTRATEGIAS PEDAGÓGICAS

Antes de empezar con las actividades, quiero comentarte algunas estrategias pedagógicas generales para los niños pequeños con autismo que he usado en nuestra clínica TRIAD en el Vanderbilt Kennedy Center y el Hospital Infantil Vanderbilt. Esta información es importante porque ofrece una panorámica más amplia que te permitirá comprender e implantar las actividades. A continuación encontrarás tres secciones introductorias: 1) combinación de métodos pedagógicos diferentes, 2) identificación y uso de recompensas y 3) uso de inductores. Las tres te proporcionarán los fundamentos básicos sobre los que construir tus actividades de enseñanza en casa.

Combinación de métodos pedagógicos diferentes

Cuando los clínicos de TRIAD trabajan con familias, utilizan un enfoque integrado que incorpora diferentes tipos de métodos pedagógicos: una combinación de metodologías orientadas al adulto, como las que se utilizan en los entrenamiento de ensayos discretos; otras orientadas al niño, tales como las que se emplean en la enseñanza incidental; y apoyos visuales, como en el caso de los utilizados en la enseñanza estructurada. No espero que, leyendo este libro, te conviertas en un experto en cada una de estas distintas metodologías pedagógicas, pero he observado en mi trabajo con familias que algunos niños responden mejor que otros a determinados métodos o combinaciones de estrategias, y que algunos padres se sienten más cómodos usando unos métodos que otros. De ahí que te recomiende familiarizarte con todos ellos para que puedas elegir la combinación más adecuada a tus circunstancias y a las de tu hijo.

Enseñanza orientada al adulto. Durante la enseñanza orientada al adulto, eres tú quien decide la actividad a realizar, cuándo y dónde realizarla, y qué materiales utilizarás. Los comportamientos se enseñan de uno en uno en pequeñas etapas independientes.

Por ejemplo, deseas que Charles aprenda a accionar un juguete saltarín (del tipo que dispone de diferentes tipos de pulsadores que hacen aparecer distintos dibujos que saltan desde debajo de su correspondiente tapa) para que pueda jugar de una forma más productiva y se entretenga durante cortos períodos de tiempo. Ya lo has visto jugar con él, pero sólo acciona uno de los pulsadores. Así pues, has decidido organizar una sesión pedagógica con este juguete después del desayuno sentado con él en su mesa de juegos.

En su forma más simple, la enseñanza orientada al adulto sigue una secuencia específica:

1. Le das a tu hijo una instrucción (como «Pulsa el botón»).
2. El niño responde de un modo u otro (pulsa el botón y activa el juguete, intenta pulsarlo o te ignora y hace otra cosa).
3. Le ofreces un *feedback* (diciendo tal vez: «¡Buen trabajo!» o «¡Vuelve a intentarlo!»).

Si Charles no lo consigue, puedes añadir un estímulo físico (se describe más adelante en este capítulo) después de la instrucción. En el ejemplo del juguete saltarín, un comportamiento inductor apropiado podría ser guiar suavemente su mano hacia el botón. Esta secuencia se repite hasta que Charles es capaz de pulsarlo regularmente cuando se lo pides y puede tardar entre cinco minutos y dos semanas, dependiendo del niño. Una vez dominada la pulsación del botón, puedes enseñarle a accionar los demás botones del juguete, siempre uno por uno.

En este tipo de enseñanza es útil elegir un juguete en el que el niño muestre un cierto interés, y es esencial que sea físicamente capaz de accionarlo. También es aconsejable eliminar posibles distracciones en el área de trabajo para que las instrucciones verbales sean breves y utilizar la misma instrucción en cada intento. Asimismo, puede resultar útil darle recompensas tangibles, tales como una galleta o unas rápidas cosquillitas, además del elogio verbal, tal y como se explica más detenidamente en la siguiente sección.

A medida que tu hijo vaya adquiriendo maestría, es importante generalizar esta habilidad a otras situaciones. Por ejemplo, puedes realizar la sesión en el suelo de su cuarto, invitar a su hermana a trabajar con él en la mesa o utilizar un juguete saltarín diferente, similar, pero no idéntico al original. En cualquier caso, la secuencia de instrucción, respuesta y *feedback* es la misma.

Enseñanza orientada al niño. En la enseñanza orientada al niño, sigues su liderazgo e introduces oportunidades pedagógicas durante las actividades que el propio niño ha elegido y está realizando. Por ejemplo, si María está sentada en el suelo haciendo rodar un coche de juguete, puedes tomar otro, hacerlo rodar cerca del suyo y luego, cuando te esté observando, mostrarle una acción diferente que amplíe la variedad de su juego. Puedes decir: «¡Mira lo que hago!» y luego soltar el coche desde lo alto de una rampa, dejando que choque contra una torre de bloques. Una vez más, dale a María una respuesta muy positiva si te imita o aunque sólo observe lo que estás haciendo.

En este enfoque pedagógico tu función es menos directiva. En lugar de dar instrucciones a tu hija, juegas a su lado, imitas sus acciones con los juguetes y le muestras nuevas formas de juego. Imitar el juego de un niño autista es un buen modo de desarrollar sus habilidades de imitación y de interacción por turno. Cuando María advierte que estás haciendo lo mismo con un juguete similar, puede repetir su acción para observar cómo lo haces de nuevo. Es el comienzo de una excelente interacción bidireccional. En ocasiones, en lugar de copiar exactamente la acción de María, puedes cambiarla un poco y observar si imita el cambio. Incluso podría modificar su acción para comprobar si la copias. Esta atención de ida y vuelta hacia sus propias acciones y las tuyas constituye una parte muy importante del establecimiento de interacciones sociales positivas.

Una de las ventajas de las actividades orientadas al niño es que se producen en cualquier lugar y en cualquier momento. Lo único que tienes que hacer es esperar a que se presenten las oportunidades de enseñanza. Cuando está jugando con juguetes en la bañera o con una pala en el cajón de arena en el parque, tienes la ocasión de ampliar sus pautas de juego con juguetes o sus habilidades de imitación, y cuando muestra interés por alcanzar un juguete al que no llega con la mano o tiene dificultades para abrir el envoltorio de un dulce, puedes aprovechar para desarrollar sus habilidades de comunicación. Son momentos en los que le puedes enseñar formas apropiadas de expresar sus necesidades y deseos, y luego recompensarla proporcionándole el objeto. Más adelante encontrarás ideas específicas para enseñar habilidades de comunicación con este método.

Enseñanza con apoyos visuales. Los apoyos visuales permiten a los niños con autismo utilizar sus habilidades en la percepción visual para compensar su relativa debilidad en la comprensión y expresión del lenguaje. Es posible, por ejemplo, que tu hijo no te entienda cuando dices: «Ve a la sala y juega con tus camiones, pero no pongas la tele» o «Cuando hayamos recogido a Jannie en la escuela, iremos a la farmacia en lugar de regresar directamente a casa». Sin embargo, este tipo de información se puede transmitir mediante símbolos e imágenes que puedes enseñarle a utilizar. Una alfombrilla o una manta pequeña puede delimitar el área en la que se espera que juegue el niño, y la imagen de una señal de *stop* en el televisor puede indicar que no podrá verla durante un determinado período de tiempo. La rutina habitual de recoger a Jannie se podría representar con fotos, de izquierda a derecha, de la casa, el coche, la escuela y de nuevo la casa, y el día en el que se amplíe el trayecto, insertar una imagen de la actividad extra (p.e., la farmacia) en el lugar correspondiente en la secuencia.

El uso de apoyos visuales se puede combinar fácilmente con otros métodos pedagógicos. Así, por ejemplo, cuando se utiliza la enseñanza directa para ayudar a Charles a aprender a pulsar el botón en el juguete saltarín, puede dar buenos resultados tapar el resto del juego con una tela para que se concentre en el botón sin que lo distraigan los demás pulsadores. O también podría ser útil colocar una pegatina de colores en el lugar exacto en el que debe pulsar para aumentar las posibilidades de que lo consiga y reducir su frustración. Dos buenos ejemplos de formas de facilitar una clarificación visual de lo que queremos que haga durante una actividad de enseñanza orientada al adulto.

Los apoyos visuales también se pueden usar en las actividades orientadas al niño. Veamos un ejemplo: en lugar de encaramarse a los estantes para alcanzar la pelota con la que desea jugar, María puede aprender a señalarla o a mostrarte una imagen de la misma tras haberla seleccionado entre las diferentes tarjetas gráficas que forman su «tablero de elección». Cuando lo haya hecho, se la das.

Los tableros de elección contienen imágenes de algunos de los juguetes o actividades favoritas de tu hijo sujetas con Velcro a un cartón (plastifícalas para que no se ensucien) y se debería colocar en el mismo lugar a diario, siempre al alcance del niño. De vez en cuando puedes cambiar las imágenes para introducir una mayor variedad en las alternativas que tiene a su disposición, pero incluyendo siempre por lo menos uno de sus juguetes favoritos. Si no quieres hacer los dibujos o tomar fotos para los apoyos visuales, en el programa de software Boardmaker, de Mayer-Johnson (www.mayer-johnson.com) encontrarás excelentes ilustraciones, simples y claras.

Identificación y uso de recompensas

En un capítulo anterior mencioné que las recompensas sociales, tales como el elogio, pueden ser una motivación insuficiente para los niños autistas, que ignoran la atención de cuantos los rodean. Por ejemplo, observar cómo ruedan las ruedas de un coche de juguete puede resultar mucho más satisfactorio para María que oír a su madre decir: «Buen trabajo». En este caso, será muy difícil enseñarle una forma diferente de jugar con un coche si la única recompensa es un elogio verbal. Deberás encontrar nuevas formas para motivar a tu hijo para que participe en actividades pedagógicas contigo y aprender así nuevas habilidades.

Además de las recompensas sociales tales como la atención, también se puede recurrir a otros tipos de recompensa, llamadas «potenciadores», entre los que se incluyen los alimentos, los juguetes o las actividades. Las listas siguientes dan algunos ejemplos de cada uno de ellos.

Alimentos

- A trocitos para que se puedan comer rápidamente.
- Que se puedan comer de uno en uno y con seguridad.
- *Ejemplos:* patatas fritas, uva, maíz tostado, cereales, pasas de Corinto, galletitas, etc.

Juguetes

- Algo que le guste mucho al niño, pero que no lo absorba por completo ni cree vínculos de apego.

- Con un tiempo de juego claramente definido. Incluso puedes usar un reloj con alarma para señalar el final del período de recompensa.
- *Ejemplos:*
  Vehículos (coches, camiones, etc.).
  Puzzles (o piezas para que las encaje una a una), figuras, números, dibujos.
  Juguetes de construcción (bloques, Duplos, etc.).
  Juguetes de causa-efecto (juguetes saltarines, etc.).
  Juguetes sensoriales (con luces, que giran, juguetes musicales, etc.).

Actividades

- Específicamente diseñadas para el desarrollo del niño.
- Con un tiempo de juego claramente definido. Incluso puedes usar un reloj con alarma para señalar el final del período de recompensa.
- *Ejemplos:*
  Individuales (dibujar, mirar ilustraciones en libros, saltar en una cama elástica, etc.).
  Con otros (hacer cosquillas, balanceo en brazos, hacer estallar pompas de jabón, etc.).

Lo que puede ser una recompensa para un niño puede no serlo para otro. Una de las mejores maneras de identificar las recompensas motivadoras consiste en observar detenidamente a tu hijo. ¿Qué elige para jugar cuando está solo? ¿Y cuando está con otras personas? ¿Cuáles son sus actividades favoritas de interior y de exterior? ¿Qué tentempié come más a menudo?

Cuando trabajes con tu hijo, debes ofrecerle las recompensas inmediatamente después de haber respondido positivamente; no puede esperar. Así pues, elige recompensas que puedas proporcionarle enseguida y que pueda usar o consumir rápidamente. De este modo no desperdiciarás un valioso tiempo de enseñanza esperando a que termine de jugar o de comer.

A menudo da buenos resultados tener a mano lo que vas a utilizar para recompensar sus comportamientos sólo durante la actividad pedagógica; potenciará su influencia. A algunos niños tal vez no les resulte excitante un cereal como recompensa si cada mañana desayunan el mismo tipo de cereales o que se les permita jugar con un juguete al que pueden acceder libremente durante el resto del día, mientras que otros con intereses más limitados pueden mostrarse muy satisfechos a pesar de su disponibilidad en otros momentos. Y sobre todo no olvides que algo que tu hijo puede considerar una recompensa un día puede no serlo al siguiente. Si sus preferencias cambian con frecuencia, prueba con una «caja de las recompensas» en la que pueda escoger la que prefiera en cada momento.

Los apoyos visuales se pueden utilizar para mostrar al niño qué recompensas tiene a su disposición y cuándo podrá obtenerlas. Puedes usar un tablero de elección (véase sección anterior) con dos o tres imágenes de posibles recompensas para dejar que seleccione la que desea, así como también un tablero «primero-después» para recordarle que sólo la conseguirá una vez completada la actividad. Por ejemplo, durante las sesiones de trabajo en casa puedes poner una imagen de la actividad pedagógica a realizar bajo el rótulo «Primero» y otra de la actividad divertida o su dulce predilecto debajo de la palabra «Después», enseñándolo a seguir la secuencia.

Cuando se utilizan recompensas para motivar a un niño autista, hay que tener en cuenta dos importantes sugerencias:

1. Ofrecer siempre recompensas sociales además de otros tipos de recompensa para que aprenda el valor de una sonrisa o un «¡Buen trabajo!».
2. Recompensar no sólo los éxitos, sino también los intentos y esfuerzos. El proceso de enseñanza debe ser lo más agradable posible para tu hijo mientras continúa avanzando hacia el dominio de habilidades esenciales.

Uso de inductores

Cuando presentes actividades a tu hijo, debes ser consciente de la delicada línea entre las que ofrecen el nivel de dificultad apropiado y las que resultan totalmente frustrantes para él. No hay sesión pedagógica divertida si siempre fracasa. Es aquí donde entran en escena los inductores, es decir, comportamientos que se utilizan para aumentar la probabilidad de que el pequeño responda correctamente, facilitándole información adicional acerca de lo que se supone que debe hacer para acertar y experimentar el éxito.

Existen innumerables tipos diferentes de inductores que se pueden usar para complementar las instrucciones verbales. Los inductores verbales y los de modelado suelen ser los más habituales con los niños pequeños, aunque no siempre son eficaces con los niños autistas. Si un pequeño no responde a una instrucción, muchos padres tienden a repetirla automáticamente o a facilitar instrucciones complementarias, lo cual tal vez no sea la estrategia más adecuada, y esto por dos razones: 1) enseña al niño que no tiene que responder inmediatamente a los requerimientos y 2) la información verbal adicional puede resultar ineficaz en el caso de niños con una comprensión limitada del lenguaje.

El modelado o gesticulación tiene limitaciones similares. Por ejemplo, si Charles no responde a la instrucción de pulsar el botón del juguete saltarín, puedes señalarlo o pulsarlo tú mismo para facilitarle más información acerca del comportamiento que esperas. Estos enfoques pueden ser eficaces en algunos supuestos, pero quizá no tanto para Charles. En primer lugar, podría no comprender el gesto de señalar o tener la habilidad de imitar la acción demostrada, en cuyo caso no le ayudarán lo más mínimo a responder correctamente. Y en segundo lugar, puede aprender a responder sólo al inductor, no a la instrucción verbal. (He trabajado con algunos pequeños que han imitado el gesto en lugar de dar la respuesta deseada.) Otro inconveniente es que los inductores gestuales y de modelado pueden ser difíciles de disiparse si el niño desarrolla una dependencia de ellos.

El tipo de comportamiento inductor que usamos más habitualmente en TRIAD cuando enseñamos a los padres a trabajar con sus hijos es el inductor físico. Los inductores físicos implican mover suavemente el cuerpo del niño para obtener la respuesta deseada. En el caso de Charles, podríamos poner la mano sobre la suya para ayudarlo a pulsar el botón, asegurando así el éxito y la ulterior recompensa. La inducción física también ayuda a los niños a concentrarse en el comportamiento final en lugar del inductor propiamente dicho. Colócate detrás de tu hijo para que vea la acción requerida para realizar la tarea. Como es lógico, los inductores físicos también deben disiparse, ya que el objetivo consiste en conseguir que Charles pulse el botón por sí solo, sin tu ayuda. Afortunadamente, este tipo de inductores son los que remiten más fácilmente. En el caso de Charles, podrías reducir la presión en la mano después de algunos intentos y luego tocársela muy ligeramente durante algunos más hasta que sea capaz de responder regularmente a la instrucción verbal sin inductor.

Un método de inducción similar se puede utilizar para estimular a María a usar el tablero de elección para pedir la pelota. Cuando empieza a trepar al estante para alcanzarla, su madre puede guiarla, siempre desde atrás, hasta el tablero y poner su mano sobre la suya para tocar la imagen de la pelota. Luego se la dará para que pueda jugar con ella. La madre de María irá reduciendo gradualmente los inductores físicos hasta que la pequeña haya aprendido a utilizar el tablero por sí sola.

En la clínica TRIAD utilizamos estas tres estrategias pedagógicas (combinación de diferentes métodos de enseñanza, identificación y uso de recompensas y uso de inductores) como fundamento de nuestro trabajo con los padres. En la sección siguiente aprenderás a utilizarlas con tu hijo en casa en áreas específicas de necesidad.

ACTIVIDADES PEDAGÓGICAS DIARIAS

Todos estamos muy ocupados cada día y es difícil encontrar tiempo para dedicar al niño. Tal vez tengas otros hijos que atender, otro trabajo fuera del hogar o quizá eres un padre o una madre solos y no dispones de nadie que pueda echarte una mano en casa con los quehaceres domésticos. En cualquier caso estoy segura de que a estas alturas sin duda te estarás preguntando: «¿Cómo puedo encontrar tiempo para enseñar a mi hijo y hacer todo lo demás?». La respuesta es muy sencilla: busca formas de integrar las actividades pedagógicas en las rutinas cotidianas. Cada día le das de comer, lo bañas y lo vistes. Asimismo, dedicas algún tiempo a jugar con él y a llevarlo de paseo al parque o de compras al supermercado. Son ejemplos de actividades diarias que ofrecen oportunidades de enseñar nuevas habilidades a tu hijo.

Actividades que desarrollan la imitación

La imitación es un importante proceso de desarrollo que se inicia a una muy temprana edad. Mucho antes de que el niño camine o hable, se enzarza en juegos de imitación bidireccionales con los adultos. A menudo los niños imitan las expresiones faciales y los sonidos que hacen sus padres y disfrutan cuando éstos, a su vez, los imitan. Estas tempranas interacciones sientan las bases del posterior desarrollo de intercambios sociales y conversacionales complejos.

Asimismo, la imitación proporciona al pequeño una forma de establecer interacciones con sus iguales. Algunos de los primeros juegos interactivos entre los niños implican la imitación de las acciones de los demás y el cambio de ser quien imita al imitado. Además de su función social, la imitación también desempeña una función muy importante en el aprendizaje. Los niños aprenden una amplia diversidad de habilidades observando e imitando los comportamientos de sus padres, hermanos, compañeros de clase e iguales.

Las investigaciones realizadas en Vanderbilt y en otros centros han demostrado que los niños pequeños con autismo son menos propensos a imitar las acciones de los demás comparado con los niños de desarrollo típico y los que sufren otros trastornos. Las implicaciones de este «desequilibrio en la imitación» no se conocen con exactitud. Sin embargo, no es difícil adivinar las importantes consecuencias que este desequilibrio podría tener para las interacciones sociales, la comunicación y el aprendizaje del pequeño. Nuestros estudios han evidenciado que los niños autistas con una mayor habilidad para la imitación también tienen mejores habilidades de juego.[1] También hemos constatado que las habilidades de imitación a los dos años de edad anuncian las habilidades de lenguaje a los tres o cuatro.[2] Estos resultados sugieren que la imitación es una importante habilidad para el aprendizaje en los niños con autismo. Mientras que los pequeños con un desarrollo típico empiezan a imitar espontáneamente y sin esfuerzo a los demás, los autistas necesitan a menudo que se lo enseñen.

Con frecuencia resulta más fácil para los niños con autismo aprender a imitar acciones usando objetos en lugar de acciones que impliquen movimientos corporales. Te sugiero, pues, que empieces las actividades en casa utilizando la imitación de objetos. Para ello es útil disponer de dos juegos de materiales: uno para ti y otro para tu hijo. La lista siguiente explica los pasos en el proceso de enseñanza de Robbie para imitar el golpeteo de un tambor con dos baquetas.

Paso	Qué hacer	Ejemplo
1	Ten a mano dos juegos de materiales.	En el área de juego sólo debe estar el tambor y dos baquetas.
2	Llama la atención del niño.	Di «¡Mira!» o «¡Mira lo que hago!» y empieza a cantar una canción que le guste.
3	Tan pronto como te mire, demuéstrale la acción y di:	Cuando el niño esté mirando, golpea el tambor con tu

Paso	Qué hacer	Ejemplo
	«Haz esto». (No etiquetes la acción específica. Tiene que aprender a imitar tus acciones, no a seguir tus instrucciones verbales.)	baqueta y di: «[Nombre de tu hijo], haz lo que hago yo». Sigue demostrándole la acción para darle algunos segundos para responder.
4a	Si el niño intenta imitarte, elógialo de inmediato, ofrécele un potenciador o ambas cosas. Demuéstrale una acción diferente con el juguete y repite los pasos 2-4.	Si el niño golpea el tambor por lo menos una vez, recompénsalo diciendo: «¡Buen trabajo [nombre de tu hijo]!» y hazle cosquillas o dale un pedacito de la fruta que le gusta, etc. Luego demuéstrale una acción diferente con el tambor, como por ejemplo golpearlo en el lateral o usando la mano en lugar de la baqueta. Recompensa sus intentos.
4b	Si el niño no te imita, guíalo con suavidad para realizar la acción. Una vez completada, elógialo de inmediato, ofrécele un potenciador o ambas cosas. Repite los pasos 2-4, reduciendo el inductor en cada intento. Cuando lo haga por sí solo, sin necesidad de inductor, puedes cambiar la acción de modelado como en 4a.	Si no te imita, coloca la baqueta en su mano, guíasela y golpea el tambor. Luego di: «¡Buen trabajo [nombre de tu hijo]!» y hazle cosquillas, dale un pedacito de la fruta que le gusta o ambas cosas. En los siguientes intentos procura reducir los inductores dándole la baqueta sin guiar su mano. Recompensa todos sus intentos.

Otro enfoque inicial para enseñar a imitar a los niños con autismo consiste en imitar sus acciones con juguetes. Por ejemplo, si Robbie está jugando con una baqueta golpeándola en el suelo, siéntate a su lado y empieza a golpear el suelo con la otra baqueta. Observa si se fija en lo que estás haciendo. De ser así, demuéstrale otra acción con el juguete, como por ejemplo golpear el tambor, y comprueba si imita este cambio.

La lista siguiente muestra algunos ejemplos de acciones que puedes modelar durante las rutinas diarias para enseñar a tu hijo a imitar. Los hermanos también pueden participar en estas actividades, actuando a modo de modelos adicionales. Sigue las estrategias descritas en la lista anterior para que el niño vaya aprendiendo a imitar las acciones que le demuestras.

Rutina	*Acciones a modelar*
Comidas	• Prepara leche chocolateada removiendo con una cuchara.
	• Da de comer a una muñeca con una cuchara y luego a tu pareja.
Baño	• Modela acciones salpicando en el agua con diferentes juguetes.
	• Llena un vaso de agua y luego viértela para hacer girar una noria o hacerle cosquillitas en los pies.
	• «Limpia» la cara de un animal de plástico con un paño o una toalla, y luego la de tu pareja o su brazo.
Vestirse	• Enséñale a levantar los brazos mientras le pones o quitas la camiseta.
	• Péinalo delante del espejo.
	• Enséñale a quitarse el zapato o el calcetín.
Juego	• Modela acciones con juguetes que produzcan sonidos interesantes o efectos visuales (dejar caer una bola por un tubo en espiral o encajar una figura en el tablero para oír el sonido que hace, etc.).

Actividades para desarrollar la comunicación funcional

La comunicación funcional incluye la habilidad de comunicarse con los demás (1) para pedir algo y (2) para compartir intereses y experiencias. Cada tipo de comunicación se puede practicar por separado.

Pedir

Algunos niños autistas son incapaces de comprender que pueden pedir lo que desean. «No es que Kyle fuera obstinado o rebelde —dice su padre, Frank—. Simplemente no sabía que podía pedir ayuda. Se encaramaba a una silla para alcanzar un juguete aunque yo estuviera a su lado y lloraba de desesperación cuando tenía hambre sin darse cuenta de que bastaba con señalar el frigorífico para que le diera algo de comer. Era muy frustrante para los dos.»

Afortunadamente, hay una forma de enseñar a los niños con autismo a pedir las cosas que quieren, a expresar su preferencia por la leche en lugar del zumo de fruta, a pedir una galleta o un dulce o pedir ayuda. Hemos observado repetidamente que cuando los niños aprenden a comunicar sus deseos y necesidades, a menudo se produce una reducción en aquellos problemáticos comportamientos negativos que provocan frustración. En las siguientes secciones se dan ejemplos de actividades para cada una de estas diferentes maneras de pedir. En cada actividad debes tener en cuenta cuatro cosas:

1. Proporcionar pistas visuales para complementar tu lenguaje (véase la sección «Enseñanza con apoyos visuales»).
2. Usar inductores físicos para aliviar la frustración del niño (véase la sección «Uso de inductores»).
3. Proporcionar refuerzos naturales durante las actividades de pedir. Es decir, si el niño está aprendiendo a pedir una galleta o un dulce, la recompensa debe ser la galleta o el dulce, no su juguete preferido.
4. Recompensar las respuestas inducidas del niño igual que las no inducidas.

Elegir

Las oportunidades para elegir a diario son interminables, como bien pudo constatar Kate, la madre de Ally, una niña de veintidós meses, a partir de su frustrante experiencia. Como parte de su conversación bidireccional normal, Kate solía formularle preguntas tales como: «¿Qué querrás hoy para comer, Ally?». Sin respuesta. «¿Qué música te gustaría escuchar, Ally?» Sin respuesta. «¿Quieres jugar con el columpio o con el tobogán?» Sin respuesta. Ally permanecía en silencio, sin abrir la boca. Y al final, cansada ya de tanto intento infructuoso, acababa tomando ella todas las decisiones.

Pero darse por vencida no ayuda a la niña a aprender a comunicar sus preferencias. Hay que enseñarle estrategias más eficaces para comunicarse. Hay por lo menos tres razones por las que Ally podría no responder a los requerimientos de su madre: 1) tal vez no comprenda el lenguaje que está usando (lo más probable); 2) es posible que la niña carezca de las habilidades verbales para responder a las preguntas de mamá, y 3) quizá no tenga ninguna preferencia por una u otra opción. Así pues, conviene tomar en consideración estas tres posibilidades al enseñar a Ally a elegir.

Y esto se puede hacer de tres formas: 1) utilizando pistas visuales para complementar el requerimiento de Kate basado en el lenguaje; 2) suscitando una respuesta no verbal de la niña, y 3) emparejar un objeto o actividad que le guste muchísimo con otra que le disguste para simplificar la elección. A continuación encontrarás algunos ejemplos de formas alternativas en las que Kate podría presentar a su hija las elecciones mencionadas anteriormente:

Estrategias menos eficaces	Estrategias más eficaces
«¿Qué querrás hoy para comer?»	Kate sostiene un bote de crema de chocolate (uno de sus alimentos preferidos) en una mano y un brócoli en la otra (no le gusta). Le pregunta: «¿Qué quieres?». Ally elige señalando, alargando la mano o tocando el alimento que prefiere. Kate se lo da de inmediato. (Si la niña señala el brócoli, debería obtenerlo, pero transcurridos unos minutos puedes darle a elegir de nuevo entre los mismos alimentos. Asimismo, Kate puede inducir a su hija a realizar una elección que refleje su preferencia.)
«¿Qué música te gustaría escuchar?»	Kate sostiene un CD en cada mano, uno con las canciones favoritas de Ally y otro en el que muestra escaso interés. Le pregunta: «¿Qué quieres?». Si la niña no elige señalando o alcanzando el CD que más le gusta, Kate puede inducir a su hija a realizar una elección que refleje su preferencia.
«¿Quieres jugar con el columpio o con el tobogán?»	En el parque, Kate muestra a Ally un tablero de elección que incluye una imagen de un columpio y un tobogán. Le pregunta: «¿A qué quieres jugar?». Si la niña no elige señalando lo que prefiere, Kate puede inducir a su hija a realizar una elección y luego acompañarla a la zona de juegos.

Cuando des a elegir a un niño, sigue estos cuatro pasos para suscitar una respuesta correcta:

1. Proporciónale pistas visuales y di: «¿Qué quieres?».
2. Espera cinco segundos para que responda.
3. Indúcelo en lo necesario para que alcance, señale o toque uno de los objetos u imágenes.
4. Dale lo que haya elegido.

Da buenos resultados enseñarle a elegir presentándole dos objetos reales. A medida que tu hijo vaya comprendiendo el concepto de elegir y que las imágenes representan objetos reales, puedes usar fotografías o dibujos de los objetos. Asimismo, puedes darle a elegir entre más de dos opciones al mismo tiempo colocando tres o cuatro tarjetas en el tablero de elección. Al principio es aconsejable solicitar la respuesta conductual más simple y más fácil. La mayoría de los niños con autismo aprenden mejor a responder alcanzando o tocando que señalando.

Pedir con espontaneidad. Cuando un pequeño elige entre objetos o actividades, está respondiendo a una inducción o «iniciación» de un adulto. Dado que el adulto inicia la interacción y limita las alternativas del niño, a menudo es una buena forma de introducirlo en el proceso de comunicación. Sin embargo, la verdadera finalidad de la comunicación es la espontaneidad. No deseamos tener que darle a elegir constantemente y esperar a que responda. Incluso es posible que no estemos ofreciendo las alternativas correctas. Queremos que el niño se muestre activo en la expresión de sus deseos y necesidades en aras de su independencia y autodeterminación. De manera que también hay que asegurarse de que dispone de una forma de iniciar espontáneamente las solicitudes.

Cuando enseñes a tu hijo a pedir lo que desea, ten en cuenta dos principios muy importantes:

1. Es esencial hacer un especialísimo hincapié en los intereses y preferencias de tu hijo utilizando objetos y actividades estimulantes. Recuerda que la recompensa que recibe es el objeto o actividad que ha pedido, de manera que si no le atrae sobremanera, tardarás mucho más tiempo en enseñarle. Consulta las listas de posibles potenciadores descritos con anterioridad en este capítulo para identificar los objetos y actividades favoritos. Por ejemplo, si le encanta que lo tomes en brazos y lo balancees en el aire, enseñarle a pedirlo es una excelente idea, y si le enloquece el chocolate, úsalo para enseñarle a pedir.

2. Para que el niño pida espontáneamente, deberás crear situaciones en las que se sienta extraordinariamente motivado a hacerlo. Por ejemplo, podrías balancearlo en el aire, hacer una pausa y esperar a que pida más antes de continuar, o puedes darle una pastilla de chocolate sin quitarle el envoltorio para que no le quede otro remedio que pedir tu ayuda.

Existen innumerables enfoques para enseñar a los niños a que pidan algo. Puedes usar palabras, símbolos, objetos, imágenes, gestos o una combinación de estos diferentes métodos. También se les puede enseñar a pedir un objeto o actividad específica, o una variedad de objetos u actividades mediante los conceptos de «ayuda» o «más». Si tu hijo está en manos de un logopeda es una buena idea consultar con él estos enfoques y dejarte aconsejar. Cualquiera que sea el que elijas, procura que el proceso sea sencillo y enséñale las cosas una a una. Habida cuenta de que la mayoría de los niños pequeños con autismo tienen dificultades incluso a nivel de comunicación no verbal, los ejemplos de esta sección se centrarán en enseñar al niño métodos no verbales de pedir. Aunque a estas alturas no estemos en condición de esperar una respuesta verbal, necesitamos modelar el uso apropiado del lenguaje para el pequeño. De ahí que haya decidido hacer un énfasis muy especial en la enseñanza de «ayuda» y «más», pues son fórmulas aplicables a incontables situaciones . Otro tipo importante de comunicación para enseñar a los niños a una edad temprana consiste en pedir un descanso durante una actividad o indicar que ha «terminado». La habilidad para comunicar este mensaje puede evitar comportamientos no deseados a los que podría recurrir el niño en lugar de expresar sus necesidades más directamente.

El procedimiento para enseñar a un niño a pedir usando «ayuda» y «más» son similares y siguen la misma secuencia general:

1. Crea una situación en la que tu hijo esté motivado para obtener un objeto o actividad.
2. Espera cinco segundos para que inicie un requerimiento usando el método seleccionado, como, por ejemplo, dándote una tarjeta con el símbolo apropiado.
3. Si te da la tarjeta, modela el lenguaje apropiado (p. ej., «¡Necesitas ayuda!» o «¡Quieres más patatas!») y proporciónale inmediatamente el objeto o actividad que ha pedido. En caso contrario, indúcelo físicamente a darte la tarjeta, modela el lenguaje apropiado (p. ej., «¡Necesitas ayuda!» o «¡Quieres más patatas!») y proporciónale de inmediato el objeto o actividad que ha solicitado.

Pedir «más». Para enseñar a los niños a pedir «más» hay que interrumpir la actividad de la que están disfrutando para obligarlos a comunicarse y manifestar su deseo de reanudarla. Pueden aprender a comunicar un requerimiento haciendo el signo de «más», señalando un símbolo de «más» o entregando una carta que lo represente. Ni que decir tiene que pueden, asimismo, pedir el objeto o actividad específica en lugar de invocar el concepto de «más». Veamos algunas sencillas ideas para crear situaciones que motiven al niño a pedir más:

- Implica a tu hijo en su actividad física favorita, como hacer cosquillas, saltar o balancearse, y luego interrumpe la acción para que necesite pedir más y continuar el juego.
- Dale a pedacitos muy pequeños la fruta que más le guste para obligarlo a pedir más a intervalos frecuentes.
- Interrumpe una de sus actividades preferidas (apaga la música o quítale el juguete con el que está jugando) para inducirlo a pedir más.

Pedir ayuda. Para enseñar a los niños a pedir ayuda, hay que crear situaciones en las que necesiten nuestra colaboración para conseguir algo que desean con afán. El proceso es similar al utilizado para enseñar «más». Pueden aprender a usar el signo de «ayuda», señalar un símbolo que lo represente o entregando una tarjeta que contenga ese símbolo. Si el pequeño pide el objeto o actividad específica en lugar de invocar el concepto de ayuda, también hay que aceptar la respuesta. A continuación se describen algunas formas de motivar al niño a pedir ayuda:

- Dale a tu hijo un juguete nuevo que le guste y que todavía esté envuelto en el papel de regalo. Necesitará ayuda para desenvolverlo.
- Dale su tentempié predilecto sin quitar el envoltorio (tabletas de cereales con chocolate, etc.).
- Pon uno de sus juguetes favoritos fuera de su alcance para que pida ayuda.
- Desensambla un juguete de manera que el niño no pueda completarlo o accionarlo correctamente sin la parte que falta (p.e., un coche sin las ruedas).

Existen innumerables actividades y rutinas diarias que puedes aprovechar para enseñar y practicar la acción de pedir:

Rutina	Elegir	Pedir ayuda	Pedir «más»
Comidas	Dale a elegir entre dos postres o dos bebidas.	Dale su tentempié favorito sin quitar el envoltorio o un brik de zumo sin abrirlo.	Dale un pedacito muy pequeño de uno de sus alimentos favoritos o un pequeño sorbo del zumo que más le gusta y deja el resto fuera de su alcance.

Rutina	Elegir	Pedir ayuda	Pedir «más»
Baño	Dale a elegir entre varios juguetes con los que divertirse en la bañera.	Dale uno de sus juguetes favoritos para jugar en la bañera que no pueda accionar él solo.	Interrumpe una rutina de baño preferida (p. ej., echarle agua en los pies).
Juego	Dale a elegir entre juguetes, música o películas.	Pon uno de sus juguetes preferidos fuera de su alcance pero a la vista.	Interrumpe un juego de balanceo o cualquier otra actividad que le guste.

Atención paralela

«Atención paralela» es el término utilizado para describir la habilidad de desplazar la atención visual entre una persona y un objeto o evento de interés. Cuando los niños responden a la atención paralela, siguen el foco de atención de otra persona. Por ejemplo, el padre de Johnny mira algo interesante al otro lado de la calle y dice: «¡Mira allí! ¡Aquel perro lleva un sombrero!» mientras señala el perro. A los dieciocho meses mira al perro, vuelve a mirar a su padre y se ríe, pero a los treinta y tres ni mira ni responde, algo así como si no oyera la voz excitada de papá.

Cuando los niños inician la atención paralela, están intentando llamar la atención de alguien hacia algo que les interesa. Por ejemplo, el hermano de Johnny inicia la atención paralela caminando hacia su padre para mostrarle un dibujo o señalando una araña que teje su telaraña en una ventana. Luego mira de nuevo a su padre para cerciorarse de que está prestando atención. Los niños inician la atención paralela con una finalidad estrictamente social: compartir un interés o experiencia. El padre de Johnny no recuerda una sola vez en la que su hijo haya intentado comunicarse con él para compartir algo que le interesa.

A menudo los niños autistas tienen dificultades para iniciar y responder a la atención paralela. No es tan probable que miren en la dirección en la que otros están mirando o en la que otra persona está señalando. Al no compartir esta información visual con el adulto, tienen menos oportunidades de aprender más cosas acerca de los objetos y eventos del entorno. Lo mismo es aplicable a la iniciación de la atención paralela. Cuando un pequeño señala o muestra un objeto a un adulto, éste suele responder hablándole o prestándole atención, y dado que estos comportamientos pueden potenciar el desarrollo del lenguaje, los niños que no inicial la atención paralela tienen menos oportunidades de obtener un *input* lingüístico por parte del adulto.

En el caso de niños con autismo es más fácil enseñarles a responder a la atención paralela que a iniciarla. Así pues, es recomendable empezar los ejercicios en casa con actividades tales como las que se han descrito aquí, que suscitan una respuesta. Estas actividades hacen un especial hincapié en dos habilidades: 1) mirar al adulto, al objeto (o evento) y de nuevo al adulto, y 2) comprender los gestos como una fuente de información.

Veamos ahora algunos consejos para fomentar el desplazamiento de la mirada entre un objeto y una persona:

- Modela respuestas verbales o faciales exageradas ante eventos «sorpresa». Cuando ocurra algo inesperado durante el día (suena el timbre de la puerta, se cae una torre de bloques de construcción, el perro ladra, etc.), mira a tu hijo, haz una expresión facial exagerada de sorpresa (arquea las cejas, sonríe y abre la boca, tápate la boca con la mano, etc.) y di con entusiasmo: «¡Uau!». Usa un tono de voz positivo y observa la respuesta del niño. Si te mira, recompénsalo diciendo: «¡Muy bien! ¡Has mirado!» o haciéndole cosquillas. De lo contrario repítelo en otras situaciones.
- Organiza actividades lúdicas de manera que se produzca un evento inesperado periódicamente. Por ejemplo, suspira y tápate la boca cuando tu hijo accione un juguete saltarín o di: «¡Hola!» al salir el muñeco y «¡Adiós!» cuando se oculte. Una vez estableci-

da la rutina, haz una pausa antes de responder para ver si el niño te mira expectante. Elógialo si lo hace.

Para enseñar a tu hijo que los gestos son una fuente de información, haz lo siguiente:

- Durante el día, en diferentes situaciones, intenta dirigir la atención de tu hijo a eventos u objetos favoritos señalando en la dirección y diciendo: «¡Mira!» en un tono de voz excitado. Empieza señalando objetos cercanos con el dedo, y aumenta poco a poco la distancia entre el dedo y el objeto. Si es posible, dáselo si ha mirado en la dirección correcta.
- Reúne algunos de sus juguetes preferidos (piezas de un puzzle, coches, etc.) y distribúyelos en distintos lugares de la habitación. Al principio los objetos deberían estar bastante cerca del niño y ser por lo menos parcialmente visibles. Empieza a jugar con él de manera que necesite los objetos que has escondido. Cuando se evidencie la necesidad, encógete de hombros y di: «Mmm, ¿dónde está?». Luego señálalo y di: «¡Aquí está!». Cuando tu hijo sea capaz de encontrar los objetos con regularidad, prueba a volver la cabeza en la dirección del objeto en lugar de señalarlo. Finalmente puedes intentar desplazar sólo la mirada para indicarle la dirección en la que está el objeto. Procura que los objetos despierten muchísimo su interés.

Actividades para fomentar el juego interactivo

Como ya hemos visto, las dificultades en las interacciones sociales constituyen uno de los déficits fundamentales de los niños autistas. A continuación se incluye una lista de habilidades tempranas de interacción social que se desarrollan durante el período preescolar. Los niños con un desarrollo típico suelen adquirir estas habilidades de un modo natural, a través de sus experiencias cotidianas, pero los que sufren autismo requieren a menudo una instrucción explícita. Esta lista te puede ayudar a determinar los objetivos del PSFI o PEI para asegurar que esta área tan importante del desarrollo se aborda en el programa de intervención.

Habilidades tempranas de interacción social

- Atiende a los adultos.
- Imita las acciones de los adultos.
- Responde a los requerimientos sociales de los adultos.
- Inicia interacciones sociales con los adultos.
- Realiza interacciones simples y juegos de turno con los adultos.
- Juega cerca de sus iguales.
- Participa en las actividades de sus iguales.
- Imita las acciones de sus iguales.
- Responde a las iniciaciones de sus iguales.
- Inicia interacciones con sus iguales.
- Comparte objetos con sus iguales (p.e., da cosas cuando se las piden, pide adecuadamente cosas a sus iguales).
- Se implica en juegos de turno con sus iguales (p.e., lanza una pelota de baloncesto a un aro).
- Se implica en actividades de cooperación y dirigidas a un objetivo con sus iguales (p.e., construye una torre con bloques).

Esta sección se centrará principalmente en enseñar interacciones por turno, una habilidad fundamental para desarrollar la comprensión social y los intercambios comunicativos. A la vista de la lista anterior habrás observado que la imitación es un tipo muy importante de interacción social. De ahí que también se puedan utilizar las actividades de imitación descritas en la sección «Actividades que desarrollan la imitación» para potenciar el juego interactivo.

No obstante, existen algunas diferencias significativas entre la imitación y el juego interactivo. En relación con la imitación, el juego interactivo (1) comprende varios turnos bidireccionales, y (2) requiere que el niño reconozca el turno de su compañero y realice activamente un comportamiento para mantener la interacción. El elemento clave del juego interactivo es el aspecto de acción por turnos de la interacción. El niño no tiene por qué imitar necesariamente la misma acción con el juguete.

Sigue los pasos siguientes para enseñar a tu hijo a jugar por turnos:

Paso	Qué hacer	Ejemplo
1	Siéntate frente a tu hijo, llama su atención y realiza una acción con un juguete mientras mira.	Elige un puzzle que le guste a Micah y sea capaz de resolver él solo. Siéntate frente a él con el puzzle delante. Esparce las piezas de manera que algunas queden cerca de tu hijo y otras cerca de ti. Di: «Mira Micah». Coloca una pieza en el puzzle mientras mira.
2	Indícale que es su turno empujando el juguete hacia él y di: «¡Es tu turno!».	Empuja el puzzle hacia él y di: «¡Es tu turno!». Si es necesario, indúcelo dándole una pieza.
3	Transcurridos alrededor de quince segundos, tanto si se implica en el juego como si no, di: «¡Es mi turno!» mientras te das un golpecito en el pecho.	Tanto si coloca la pieza en el puzzle como si no, di: «¡Es mi turno!» mientras te das un golpecito en el pecho y lo animas a que te lo devuelva.
4a	Si el niño empuja el juguete de nuevo hacia ti, elógialo y repite los pasos 1-3.	Si Micah lo empuja de nuevo hacia ti, di: «¡Gracias Micah!» o «¡Buen trabajo!» con entusiasmo, y repite la secuencia hasta completar el puzzle.

Paso	Qué hacer	Ejemplo
4b	Si no te lo devuelve, guíalo físicamente* para que lo haga y luego elógialo. Repite los pasos 1-3.	Si el niño no te devuelve el puzzle, alarga la mano en señal de pedir. Si aun así tampoco lo empuja hacia ti, guíalo físicamente* para que lo haga. Di: «¡Es mi turno!» y repite los pasos 1-3.

Nota: Si es posible, es preferible que sea otra persona la que se coloque a su espalda y lo guíe.

Las actividades descritas aquí se centrarán en enseñarle a jugar por turnos contigo, aunque se pueden adaptar fácilmente para que participen sus hermanos, iguales u otros miembros de la familia:

- Organiza un juego de hacer rodar un camión de juguete (o una pelota) adelante y atrás. Establece una rutina en la que tú vocalizarás antes de hacerlo rodar hacia el niño y expresa excitación cuando te lo devuelva. Indúcelo si es necesario para conseguir que lo haga rodar hacia ti. Modifica el juego vocalizando, haciendo una pausa antes de hacer rodar el camión y haciendo rodar otro camión o haciéndolo saltar un obstáculo antes de rodar. Mantén el interés del juego rodando tres camiones hacia él al mismo tiempo, colocando un dulce en el camión o haciéndolo colisionar contra una torre de bloques de construcción. Modela alegría exagerando tus expresiones faciales y gestos. Por ejemplo, levanta los brazos mientras exclamas «¡Uau!» y haces cara de asombrado.
- Organiza juegos de turno que impliquen pasar por turnos una parte de uno de los juguetes favoritos de tu hijo. Por ejemplo, puedes esparcir en el suelo las piezas de un puzzle, pasarle el tablero para que coloque una pieza y esperar a que te lo pase de nuevo para que tú coloques otra. Otros juegos podrían incluir trabajar por turnos dejando caer bolas en un tubo espiral, lanzando pelotas a una pa-

pelera o haciendo rodar coches por una pendiente. Durante el pase del juguete puedes usar pistas tales como «¡Es mi turno!» y «¡Es tu turno!» para que comprenda mejor el juego.

• Desarrolla rutinas lúdicas con canciones acompañadas de movimientos con los dedos o juegos físicos que le gusten y que requieran su respuesta. Por ejemplo, haz una pausa a media canción y espera a que el niño te mire (o tómalo de la mano o di algo) antes de continuar.

Veamos algunos ejemplos de integración de las actividades por turnos en las rutinas cotidianas:

Rutina	*Actividad por turnos*
Comidas	• Pide a los miembros de tu familia que tomen, por turnos, una galleta de un plato y que luego lo pasen a la persona que está sentada a su lado.
Baño	• Llena de agua un vaso y viértelo sobre una noria de juguete, primero tú, luego él.
Vestirse	• Tira de sus calcetines y luego anímalo a que tire de los tuyos, y así sucesivamente. • Ponte un sombrero divertido, dáselo para que se lo ponga él y luego anímalo a que te lo devuelva para que te lo pongas de nuevo, y así sucesivamente.

Cuando un niño autista desarrolla sus habilidades de interacción, se beneficia toda la familia. Los padres se sienten más conectados a su hijo y los hermanos tienen la oportunidad de relacionarse con el niño, antes inaccesible.

Actividades para fomentar las habilidades lúdicas funcionales con juguetes

La fiesta de cumpleaños era un hervidero. Seis niños de dos años junto con sus hermanos y hermanas mayores y menores correteaban por el patio disfrutando con los juguetes que le habían regalado. Algunos pequeños fingían ser pívots de la liga de baloncesto; otros hacían pompas de jabón y jugaban a los vaqueros; mientras otros, en fin, esperaban su turno para jugar con un perro mecánico que daba saltos y ladraba como un perro de verdad. Pero James, el niño de dos años que celebraba el cumpleaños, permanecía sentadito a la mesa de picnic mirando absorto las cintas de colores que habían adornado los paquetes. Mamá y papá lo habían animado a jugar con los regalos, pero no insistieron, conscientes de que apartar a su hijo de las cintas podría desencadenar una rabieta espectacular que arruinaría la fiesta. James era autista.

Los niños con un desarrollo típico saben jugar. Lo aprenden observando a los demás, atendiendo a las instrucciones y usando la imaginación. Pero los niños autistas tienen dificultades para imitar, comprender el lenguaje e imaginar, y necesitan a alguien que les enseñe a jugar. Has habilidades lúdicas son muy valiosas para un pequeño, pues aumentan las oportunidades de interacción con sus iguales y de aprendizaje de nuevas habilidades.

El juego funcional es la habilidad de usar los juguetes de la forma en la que han sido diseñados, como por ejemplo los coches de juguete fabricados para que los niños los hagan rodar en carreteras imaginarias y transporten pasajeros de un lugar a otro, o darle el biberón a una muñeca, mirar un libro y volver las páginas, y pulsar botones en una caja registradora de juguete. A un nivel más complejo, el juego funcional implica secuencias de acciones con juguetes, como por ejemplo darle el biberón a una muñeca y luego acostarla, o pulsar los botones de una caja registradora, extraer algunas monedas, ponerlas en la cubeta de un camión y llevarlo hasta el almacén. Sin embargo, un niño con autismo es más probable que juegue con los coches haciendo girar sus ruedas o alineándolos.

El proceso de enseñanza de las habilidades de juego funcional es muy similar al descrito para la imitación. Hay que demostrar las acciones apropiadas. La única diferencia está relacionada con qué modelas y cómo lo haces. Al enseñar a imitar, no etiquetas la acción, pues deseas que el niño aprenda a observarte para deducir lo que debe hacer. Por el contrario, cuando se le enseña el juego funcional es una buena idea modelar un lenguaje simple para describir lo que estás haciendo y por qué. Los niños autistas tienen serias dificultades para jugar con animales de peluche o muñecas y crear secuencias de juego, de manera que las actividades de esta sección se centrarán en las habilidades siguientes:

- Enseña a tu hijo a jugar funcionalmente con un osito de peluche o una muñeca. Toma dos ositos (o muñecas), dale uno y quédate el otro. Modela una acción con tu oso, como por ejemplo darle de comer, colocarlo en un camión simulando que es el conductor, hacerlo estornudar o sentarlo en una silla. Etiqueta la acción cuando lo hagas («¡Mira! ¡El osito está conduciendo el coche!»). Anímalo a imitar la misma acción con su oso. Procura que las acciones y los sonidos que las acompañen despierten el interés del niño y llamen su atención. Podrías, por ejemplo, poner de pie el osito y luego hacerlo estornudar con un gran estrépito, cayéndose de espaldas.
- Puedes combinar varias acciones para ayudar a tu hijo a comprender que el juego implica series secuenciales, como, por ejemplo, hacer estornudar al osito y a continuación sonarle la nariz con una toallita; remover en una taza con una cuchara y luego darle de beber a una muñeca; poner varias figurillas en un camión de juguete, empujarlo hasta el otro extremo de la habitación y luego apearlos. Al igual que antes, etiqueta las actividades (p.e., «Estamos removiendo el té para la muñeca... Mira, le gusta el té, se lo está bebiendo todo..., glu, glu, glu».

Cualesquiera que sean las habilidades que elijas para trabajar, ten en cuenta estos consejos:

1. El tiempo lo es todo. Las actividades deben ser divertidas para tu hijo. Si muestra signos de cansancio, interrúmpelas, y, sobre todo, no intentes hacer demasiado cada vez.
2. Si no observas resultados inmediatos, no te preocupes. Cada pequeña mejoría es importante. Incluso puede ser más valioso que te observe a que te imite.
3. No tienes por qué ser el maestro del niño veinticuatro horas al día, siete días por semana. Dale respiros (y descansa también tú).
4. Recuerda recurrir a comportamientos inductores para reducir su frustración. Si la actividad parece demasiado difícil para él, sugiérele otra más sencilla para que experimente el éxito.

Una historia de detección precoz: cuarta parte

Judy, la madre de Luke, continúa la historia.

Estoy encantada con los terapeutas de mi hijo, pero no me siento a gusto dejando la intervención en manos de otras personas. Algo me dice que también deberíamos trabajar con él en casa. Había captado algunas ideas observando las sesiones terapéuticas y de todo lo que había leído, pero no sabía cómo organizar las actividades yo sola. Se lo comenté a uno de los terapeutas y se prestó enseguida a enseñarme a hacerlo y dejarme probar mientras me observaba y orientaba. No sólo me sentía más satisfecha y segura de mí misma, sino que tenía la oportunidad de enseñarle a Jeff lo que estaba aprendiendo.

Luke ha progresado una barbaridad desde que empezó las terapias, y trabajar con él en casa me ha permitido conocerlo mejor y confiar mucho más en mis habilidades como madre. Siempre me había considerado una buena madre, pero lo cierto es que tener un hijo autista presenta una infinidad de desafíos únicos que jamás había imaginado.

Una de las estrategias que nos han dado mejores resultados es usar la estructura visual. Luke es un niño muy visual y ha aprendido enseguida a seguir una secuencia de imágenes. Con el tablero de fotografías conseguí enseñarle a saltar en la cama elástica y a jugar con sus coches. Saber que las fotos estaban allí, colgadas del tablero, parecía tranquilizarlo. También funciona muy bien la «caja de cosas terminadas» para ayudarlo en las transiciones entre actividades. Al finalizar una actividad, mete los materiales en ella y ya está listo para la siguiente.

Hemos observado que Luke se comunica mucho más con nosotros en casa. Da la sensación de sentirse menos frustrado al ser más capaz cada día de hacernos saber lo que quiere. Actualmente usa una combinación de palabras, signos e imágenes. Aún no nos mira demasiado, y ya nos gustaría, ya, pero espero que todo esto vaya mejorando con el tiempo. Ha aprendido a jugar mejor con los juguetes, y cuando los vecinos vienen a casa, lo veo fijándose en lo que hacen y copiándolos. ¡Vaya cambio! Hasta la fecha los progresos de mi hijo nos satisfacen plenamente. Sabemos que todavía queda un largo camino por recorrer pero, a decir verdad, cada día me siento más optimista y siento en lo más profundo de mí que será capaz de asistir a preescolar con sus amiguitos.

Preguntas más frecuentes

Trabajo con ahínco con mi hija en casa, pero empiezo a pensar que es una pérdida de tiempo. Cuando por fin consigue hacer algo nuevo, al día siguiente parece haberlo olvidado todo. Ayer, sin ir más lejos, imitó la forma en la que estaba jugando con una de sus muñecas. Me sentí esperanzada. Hoy hemos jugado a lo mismo, pero parecía como si no tuviera la menor idea de lo que había que hacer. ¿Cómo puedo saber que está aprovechando el tiempo que le dedico en casa a realizar estas actividades?

Sé lo difícil que debe de ser esperar a que tu hija muestre los cambios que tan desesperadamente deseas ver en ella, pero es importante tener en cuenta que el cambio no se produce de la noche a la mañana. Por otro lado, muchas veces olvidamos cuánto han progresado. Por ejemplo, aun en el caso de que la niña no imite tus acciones un día, ¿se siente más a gusto sentada contigo de lo que solía hacerlo? ¿Presta más atención que antes a lo que haces? ¿Muestra un mayor interés en la muñeca que cuando empezaste a trabajar con ella? ¿Comprendes un poco mejor lo que rige su comportamiento? Sospecho que si llevas ya algunas semanas trabajando con ella, la respuesta a por lo menos algunas de estas preguntas es afirmativa. Ten paciencia, respira hondo y presta atención a los pequeños cambios que adviertas; son los bloques de construcción que, una vez apilados, formarán una magnífica torre: los cambios de mayor envergadura.

Mi hijo recibe terapia dos veces por semana en un centro de la Seguridad Social. Trabaja con un logopeda y un maestro de educación especial. Ambos aseguran que lo está haciendo muy bien y que muestra una franca mejoría, pero en casa nada parece haber cambiado. ¿Qué puedo hacer para trasladar las cosas que aprende con sus terapeutas a las actividades diarias fuera de la clínica?

Los niños autistas no generalizan sus habilidades a diferentes entornos tan bien como los demás. No es, pues, de extrañar que esté haciendo cosas en las sesiones de terapia que luego no repite en casa. Pero esto no significa que sus maestros tengan que añadir la generalización como un objetivo a alcanzar. Hay varias formas de ayudar a los niños con autismo a generalizar sus habilidades. Una de ellas consiste en asistir a las sesiones terapéuticas para ver el tipo de actividades que está haciendo y los enfoques que usan los profesionales. Podría dar buenos resultados utilizar los mismos métodos en casa. También deberías pedir consejo a los terapeutas para facilitar la transferencia de sus habilidades al entorno doméstico. Tal vez diseñen un programa de actividades específicas que puedas hacer con él, venir a tu casa y realizar algunas sesiones o participar tú mismo en las sesiones mientras los terapeutas te enseñan algunas formas de trabajar con tu hijo. Comenta tus preocupaciones al coordinador del servicio en el caso de que las necesidades de PSFI deban modificarse incorporando la generalización como un nuevo objetivo.

❊   ❊   ❊

Cuando trabajas con tu hijo en casa, tanto en un programa pedagógico estructurado como de un modo casual con actividades diarias, le estás ofreciendo no sólo mayores oportunidades de desarrollar sus habilidades, sino también tu tiempo, tu atención y tu amor. Los niños necesitan desesperadamente estas tres cosas, pero muy en especial los autistas, tan distantes y «diferentes» en ocasiones que puede ser difícil comprenderlos y aproximarse a ellos. Te parecerá que está deseando que lo dejes en paz, pero esto sólo es debido a que no sabe cómo comunicarse o interactuar de la forma en la que lo hacen los demás niños. Usa, pues, las sugerencias de este capítulo para mejorar aquellos déficits tan comunes en los pequeños con autismo, pero también para conocer mejor a tu hijo, ese maravilloso ser humano único y exclusivo al que amas enloquecidamente y al que además tienes la ocasión de ayudar.

EPÍLOGO

El periplo que emprenden los padres desde la primera sospecha de autismo hasta el diagnóstico oficial del trastorno puede ser largo y emocionalmente abrumador. Espero que este libro te allane un poquito el camino. Aun así, incluso con mis consejos y sugerencias para orientarte, las grandes cuestiones en el ámbito del autismo siguen sin respuesta: ¿Cuál es la causa del autismo y cuál la mejor manera de tratarlo? El deseo de responder a estas preguntas es lo que motiva mi trabajo como investigadora, y confío en que llegado el momento de preparar una edición revisada de este libro, mis conocimientos acerca de ese puzzle al que llamamos autismo hayan aumentado.

Ahora, en la parte final de este libro, siento la necesidad de ofrecer algunos sabios consejos a los padres recién inmersos en este complejo trastorno. ¿Qué podría decirles para ayudarlos a seguir adelante? ¿Qué palabras tengo en mi vocabulario que puedan darles la fuerza y el coraje que necesitarán durante los meses y años siguientes?

Pero me di cuenta de que mis palabras no son ni mucho menos lo que necesitas para mirar al futuro. Se me ocurrió algo mejor. Hice una solicitud a los padres de niños autistas a través del boletín de investigación de TRIAD para que dieran sus consejos a los que acababan de entrar en este nuevo mundo, pues son ellos los que realmente comprenden lo que sientes en estos momentos. Han pasado por lo mismo que estás pasando tú. De manera que terminaré este libro con sus palabras de ánimo y experiencia:

> Deja que tu casa sea el refugio seguro de tu hijo. Ya tendrá suficientes cosas que afrontar en el mundo. El hogar debe ser un lugar de resguardo en el que no existan los gritos ni la violencia. La paciencia es

la clave. Nunca más levantes la voz a tu hijo autista y defiéndelo con uñas y dientes. Si no lo haces tú, ¿quién lo hará? (madre de un niño de cuatro años).

Lo único que querría decirles a los padres que están preocupados porque su chiquitín no se está desarrollando como debería es que su hijo sigue siendo su pequeña persona única destinada a recibir su amor. Llévalo al médico y aprovecha la menor oportunidad para enseñarle nuevas cosas, pero luego reúnete con él en su mundo para ayudarlo a aproximarse al tuyo (madre de un niño de cinco años).

No demores el diagnóstico. Puede no ser autismo, pero si lo es, cuanto antes empieces a ayudarlo, tanto mejor. Y recuerda que la forma en la que se comporta NO es culpa suya (padre de una niña de tres años).

Infórmate todo cuanto puedas sobre el autismo para comprender y ayudar a tu hijo. Trabaja con la escuela y el maestro, y sigue practicando sus habilidades en casa. Establece tus propios objetivos para el niño y trabaja con él para alcanzarlos (madre de un niño de tres años y medio).

Todos necesitamos y deseamos amor, y un niño autista no es una excepción. Ama a tu hijo en todos sus intentos y celebraciones. Elogia sus esfuerzos tanto si fracasa como si alcanza su objetivo. Muéstrate invariablemente positivo; animarás a tu hijo y se sentirá más seguro y confiado durante el largo viaje que le espera (madre de un niño de ocho años).

El mejor consejo que puedo dar a los padres con un hijo autista es contemplarlo como una personita única con una infinidad de desafíos y también de dones. Intenta ayudarlo a superar los desafíos y sáciate de sus dones penetrando en su mundo. Cuanto más profundamente penetres en él, más dispuesto estará a salir y a jugar en el tuyo (padre de una niña de tres años).

El mejor consejo para los padres de un niño con autismo es lo que los ángeles dijeron a los pastores: «No hay nada que temer». Ármate de conocimientos, no tengas miedo de la palabra «autismo», no temas las terapias, no temas a los médicos y profesionales, no tengas miedo a la escuela y los maestros, y no temas tus propios instintos. El miedo te hará sobrerreaccionar o infrarreaccionar, y ninguna de estas dos cosas es buena para tu hijo (madre de un niño de cinco años).

Me gustaría que los padres supieran que el autismo no tiene su causa en nada que hayan hecho, y que sus hijos tampoco son culpables. Es normal sentirse deprimido, pero no permitas que el sentimiento de culpabilidad y la ansiedad destruya tu relación con tu hijo, tus otros hijos o tu pareja. Es el momento de estar unidos, no separados (madre de un niño de seis años).

Aquí tienes algunas palabras de estímulo y ánimo de otros padres que saben exactamente cómo te sientes. Este apoyo será importante para ti y para tu hijo mientras intentas responder a la pregunta: «¿Tiene autismo mi hijo?».

Criterios de diagnóstico para el trastorno autista

A. Un total de seis (o más) elementos de (1), (2) y (3) con un mínimo de dos de (1) y uno de (2) y (3):

1) Desequilibrio cualitativo en la interacción social que se manifieste por lo menos en dos de los puntos siguientes:
   a) Marcado desequilibrio en el uso de múltiples comportamientos no verbales tales como mirada ojo-ojo, expresión facial, posturas corporales y gestos para regular la interacción social.
   b) Fracaso en el desarrollo de relaciones con sus iguales apropiadas a su nivel de desarrollo.
   c) Falta de búsqueda espontánea de compartir alegría, intereses o logros con otras personas (p.e., no mostrar, dar o señalar objetos de interés).
   d) Falta de reciprocidad social o emocional.

2) Desequilibrios cualitativos en la comunicación que se manifiesten por lo menos en dos de los puntos siguientes:
   a) Retraso o falta absoluta de desarrollo del lenguaje hablado (no acompañado de un intento de compensación mediante modos alternativos de comunicación, tales como gestos o mímica).

b) En individuos con un habla adecuada, marcado desequilibrio en la habilidad de iniciar o mantener una conversación con otras personas.

c) Uso estereotipado y repetitivo del lenguaje o lenguaje idiosincrático.

d) Falta de juego espontáneo variado o juego de imitación social apropiado al nivel de desarrollo.

3) Pautas de comportamiento, intereses y actividades limitadas, repetitivas y estereotipadas que se manifiesten por lo menos en uno de los puntos siguientes:

a) Preocupación absorbente por una o más pautas de interés estereotipadas y limitadas anormal en intensidad o concentración.

b) Adherencia aparentemente inflexible a rutinas o rituales específicos no funcionales.

c) Peculiaridades motoras estereotipadas y repetitivas (p.e., aleteo de manos o dedos, o movimientos complejos de todo el cuerpo).

d) Preocupación persistente por partes de objetos.

B. Retrasos o funcionamiento anormal por lo menos en una de las áreas siguientes con aparición antes de los tres años:

1) interacción social,

2) lenguaje en la comunicación social, o

3) juego simbólico o imaginativo.

C. La anomalía no encuentra mejor explicación en el Rett's Disorder o el Childhood Disintegrative Disorder.

Lista de comprobación modificada para el autismo en los niños pequeños (FMAN)

Por favor, cumplimenta este formulario acerca de cómo **suele** ser tu hijo. Procura responder a todas las preguntas. Si el comportamiento sólo se ha observado en una o dos ocasiones, responde como si el niño no lo hubiera manifestado nunca.

1. ¿Le gusta que lo columpies, balancees o hagas saltar en las rodillas? Sí No

2. ¿Muestra interés por otros niños? Sí No

3. ¿Le gusta encaramarse a las cosas, como por ejemplo subir escaleras? Sí No

4. ¿Le gusta jugar a «Cu-cú» y «Ahora te veo, ahora no te veo»? Sí No

5. ¿Simula hablar por teléfono, cuidar de una muñeca o fingir otras cosas? Sí No

6. ¿Usa el dedo índice para señalar y pedir algo? Sí No

7. ¿Usa el dedo índice para señalar e indicar interés en   Sí   No
   algo?

8. ¿Juega adecuadamente con juguetes pequeños   Sí   No
   (p.e., coches o bloques de construcción) sin simplemente llevárselos a la boca o arrojarlos?

9. ¿Te trae objetos (a papá o mamá) para mostrarte   Sí   No
   algo?

10. Te mira a los ojos durante más de uno o dos segun-   Sí   No
    dos?

11. ¿Parece hipersensible al ruido?   Sí   No

12. ¿Responde sonriendo ante la expresión de tu cara o   Sí   No
    cuando le sonríes?

13. ¿Te imita (p.e., haces una cara y él la imita)?   Sí   No

14. ¿Responde a su nombre cuando lo llamas?   Sí   No

15. Si señalas un juguete en el otro extremo de la habi-   Sí   No
    tación, ¿mira en esa dirección?

16. ¿Camina?   Sí   No

17. ¿Mira lo que miras?   Sí   No

18. ¿Hace movimientos inusuales con los dedos delan-   Sí   No
    te de la cara?

19. ¿Intenta atraer tu atención hacia la actividad que   Sí   No
    está realizando?

20. ¿Te has preguntado alguna vez si tu hijo es sordo?   Sí   No

21. ¿Comprende lo que le dice la gente?   Sí   No

22. ¿En ocasiones fija la mirada en «nada» o anda de   Sí   No
    acá para allá sin ninguna finalidad?

23. ¿Mira tu rostro para comprobar tu reacción cuan-   Sí   No
    do ve algo que no conoce?

Evaluación del FMAN

1. Compara tus respuestas a cada punto con las que se relacionan en la leyenda inferior.
2. Suma el número total de puntos que coinciden (de los 23):
3. Suma el número de puntos que coinciden con las 6 respuestas con asterisco:

   1. no
* 2. no
   3. no
   4. no
   5. no
   6. no
* 7. no
   8. no
* 9. no
   10. no
   11. no
   12. no
* 13. no
* 14. no
* 15. no
   16. no
   17. no
   18. sí
   19. no
   20. sí
   21. no
   22. sí
   23. no

Interpretación del FMAN

El resultado entra en la categoría «de riesgo» si se cumple cualquiera de las dos condiciones siguientes:

1. El número total de puntos coincidentes (de los 23) es 3 o superior, o
2. El número de puntos con asterisco que coinciden (de los 6) es 2 o superior.

Nota: Un resultado «de riesgo» sugiere la necesidad de realizar una ulterior evaluación, pero no significa que el niño sea autista (véase capítulo 3).

NOTAS

CAPÍTULO 1

1. Autism Society of America, «What is Autism?», www.Autism-society.org, 2005. (Para acceder al artículo, pulsa en «Understanding Autism».

CAPÍTULO 2

1. Metropolitan Atlanta Developmental Disabilities Surveillance Program, «Developmental Disabilities», www.cdc.gov/ncbddd/dd/ddsurv.htm#prev, 2005.
2. Zwaigenbaum, L., y cols., «Behavioral Manifestations of Autism in the First Year of Life, *International Journal of Developmental Neuroscience*, 23, pp. 143-152, 2005.

CAPÍTULO 3

1. Filipek, P. A., y cols., «Practice Parameter: Screening and Diagnosis of Autism: Report of the Quality Standars Subcommittee of the American Academy of Neurology and the Child Neurology Society», 55, pp. 468-479, 2000.
2. Robins, D., Fein, D., Barton, M., y Green, J., «The Modified Checklist for Autism in Toddlers: An Initial Study Investigating the Early Detection of Autism and Pervasive Developmental Disorders», *Jouarnal of Autism and Developmental Disorders*, 31(2), pp. 131-144, 2001.
3. Howlin, P., y Moore, A., «Diagnosis of Autism: A Survey of Over 1200 Patients in the UK», 1, pp. 135-162, 1997.

4. Stone, W. L., Coonrod, E. E., Pozdol, S. L., y Turner, L. M., «The Parent Interview for Autism-Clinical Version (PIA-CV): A Measure of Behavioral Change for Young Children with Autism», 7, pp. 9-30, 2003.
   Stone, W. L., y Hogan, K. L., «A Structured Parent Interview for Identifying Young Children with Autism», *Journal of Autism and Developmental Disorders*, 1993, 23, pp. 639-652.
5. Lord, C., Rutter, M., y LeCouteur, A., «Autism Diagnostic Interview-Revised: A Revised Version of a Diagnostic Interview for Caregivers of Individuals with Possible Pervasive Developmental Disorders», *Journal of Autism and Developmental Disorders*, 24, pp. 659-685, 1994.
6. Sparrow, S., Balla, D., y Cicchetti, D., *Vineland Adaptive Behaviour Scales*, Circle Pines, Minn., American Guidance Service, 1984.
7. Bayley, N., *The Bayley Scales of Infant Development*, 2.ª edición, San Antonio, Tex., Harcourt Assessment, 1993. [Edición en español: *Escalas Bayley de desarrollo infantil*, TEA Ediciones, Madrid, 1977.]
8. Mullen, E. M., *Mullen Scales of Early Learning*, Circle Pines, Minn., American Guidance Service, 1995.
9. Courchesne, E., Carper, R., y Akshoomoff, N., «Evidence of Brain Overgrowth in the First Year of Life in Autism», *Journal of the American Medical Association*, 290, pp. 337-244, 2003.
10. Lord, C., y cols., «The Autism DiagnosticObservation Schedule-Generic: A Standard Measure of Social and Communication Deficits Associated with the Spectrum of Autism», *Journal of Autism and Developmental Disorders*, 30, pp. 205-223, 2000.
11. Schopler, E., Reicher, R. J., y Renner, B. R., *The Childhood Autism Rating Scale*, Nueva York, Irvington, 1986.

CAPÍTULO 4

1. Committee on Educational Interventions for Children with Autism, *Education Children with Autism*, Washington D.C., National Academy Press, 2001.
   Dawson, G., y Osterling, J., «Early Intervention in Autism», en M. J. Guralnick (editor), *The Effectiveness of Early Intervention*, pp. 307-326, Baltimore, Brookes, 1997.

Hurth, J., y cols., «Areas of Agreement About Effective Practices Among Programs Serving Young Children with Autism Spectrum Disorders», *Infants and Youn Children*, 12, pp. 17-26, 1999.

New York State Department of Health Early Intervention Program, «Autism/Pervasive Developmental Disorders: Assessment and Intervention for Young Children (Age 0-3 Years)», *Clinical Practice Guideline: Autism/Pervasive Developmental Disorders*, Nueva York, New York State Department of Health, 1999.

Stain, P. S., Wolery, M., e Izeman, S., «Considerations for Administrators in the Design of Service Options for Young Children with Autism and Their Families», *Young Exceptional Children*, pp. 8-16, Winter, 1998.

2. Individuals with Disabilities Education Act Data, «Number of Children Served Under IDEA by Disability and Age Group», www.ideadata.org/tables27th/ar_aa9.htm, 2003.

3. Stone, W. L., y Yoder, P. J., «Predicting Spoken Language Level in Children with Autism Spectrum Disorders», *Autism*, 5, pp. 341-361, 2001.

4. Levy, S. E., y cols., «Use of Complementary and Alternative Medicine Among Children Recently Diagnosed with Autistic Spectrum disorder», *Journal of Developmental and Behavioral Pediatrics*, 24, pp. 418-423, 2003.

Nickel, R. E., «Controversial Therapies for Young Children with Developmental Disabilities», *Infants and Young Children*, 8, pp. 29-40, 1996.

5. Lonigan, C. J., Elbert, J. C., y Johnson, S. B., «Empirically Supported Psychosocial Interventions for Children: An Overview», *Journal of Clinical Child Psychology*, 7, pp. 138-145, 1998.

6. Autism Society of America, *Guidelines for Theory and Practice*, Bethesda, Md., Autism Society of America, 1997.

Freeman, B. J., «Guidelines for Evaluating Intervention Programs for Children with Autism», *Journal of Autism and Devepmental Disorders*, 27, pp. 641-651, 1997.

Nickel, R. E., «Controversial Therapies for Young Children with Developmental Disabilities», *Infants and Young Children*, 8, pp. 29-40, 1996.

7. National Center for Complementary and Alternative Medicine, «10 Things to Kniow About Evaluating Medical Resources on the Web», NCCAM Publication, n° D142.

nccam.nih.gov/health/webresources/index.htm, 19 de febrero de 2002.

CAPÍTULO 5

1. Stone, W. L., Ousley, O. Y., y Littleford, C. L., «Motor Imitation in Young Children with Autism: What's the Object?», *Journal of Abnormal Child Psychology*, 25, pp. 475-485, 1997.
2. Stone, W. L., y Yoder, P. J., «Predicting Spoken Language Level in Children with Autism Spectrum Disorders», *Autism*, 5, pp. 341-361, 2001.

PÁGINAS WEB

Asociaciones

CONFEDERACIÓN ESPAÑOLA DE AUTISMO
www.autismo.org.es

FEDERACIÓN LATINOAMERICANA DE AUTISMO
www.autismo.org.mx

AUTISM SOCIETY OF AMERICA
www.autism-society.org
Información completa y detallada sobre el trastorno autista.

ASOCIACIÓN ESPAÑOLA DE PEDIATRÍA DE ATENCIÓN PRIMARIA
www.aepap.org/familia/autismo.htm

Información general sobre el autismo

www.autismo.com
Foro e información para familiares y profesionales. Artículos sobre terapias, diagnóstico, etcétera.

www.ninds.nih.gov/disorders/spanish/autismo
Información sobre el autismo del Instituto Nacional de Trastornos Neurológicos y del Movimiento.

www.psicopedagogia.com/autismo
Artículos sobre psicopedagogía, enlaces, glosario, foro de discusión, etcétera.

www.exploringautism.org/spanish
Información de ayuda a las familias.

familydoctor.org
Información para padres.

ACERCA DE LAS AUTORAS

Wendy L. Stone es profesora de pediatría, psicología y desarrollo humano en la Universidad Vanderbilt; directora del Treatment and Research Institute for Autism Spectrum Disorders (TRIAD) en el Centro Vanderbilt Kennedy, y codirectora del Marino Autism Research Institute, una colaboración entre la Universidad de Vanderbilt y la Universidad de Miami. Se doctoró en Psicología Clínica en la Universidad de Miami en 1981 y ha completado su formación como médico interno en la Universidad de Carolina del Norte y la División TEACCH.

Los intereses primarios de investigación de la doctora Stone son la identificación precoz y la intervención precoz para niños con trastornos de espectro autista. Una buena parte de su trabajo se ha centrado en la identificación y caracterización de los rasgos conductuales de aparición precoz del autismo, y desde 1993 cuenta con financiación federal para su trabajo. Ha estudiado diversos aspectos del desarrollo socio-comunicativo precoz, incluyendo el juego, imitación motora y comunicación prelingüística, examinando sus contribuciones a los resultados posteriores del comportamiento y diagnóstico. Sus investigaciones con niños pequeños se materializó en la creación del Screening Tool for Autism in Two-Year-Olds (STAT), que actualmente se está adaptando para su uso en niños más pequeños. Entre sus actuales proyectos de investigación se incluye la identificación de indicadores socio-comunicativos en niños menores de veinticuatro meses, la predicción de la respuesta a la intervención precoz y el desarrollo social precoz de hermanos menores de niños autistas.

Theresa Foy DiGeronimo es autora galardonada de muchos libros, incluyendo *How to Talk to Teens About Really Important Things* y otros títulos de la serie Jossey-Bass How to Talk. Es profesora adjunta en la Universidad Inglesa en William Paterson, en New Jersey.

EL NIÑO Y SU MUNDO

Títulos publicados:

EL MUNDO EMOCIONAL DEL NIÑO

*Comprender su lenguaje, sus risas
y sus penas*

ISABELLE FILLIOZAT

224 páginas
Formato: 15,2 x 23 cm
El niño y su mundo 26

LA INTELIGENCIA EMOCIONAL
DE LOS NIÑOS

*Claves para abrir el corazón y la mente
de tu hijo*

WILL GLENNON

160 páginas
Formato: 15,2 x 23 cm
El niño y su mundo 34

MANUAL PARA PADRES

*¡Socorro! Qué hacer cuando tu hijo
de 2 a 5 años tiene rabietas, muerde
a sus amiguitos, interrumpe
las conversaciones, dice palabrotas, etc.*

GAIL REICHLIN Y CAROLINE WINKLER

320 páginas
Formato: 15,2 x 23 cm
El niño y su mundo 39

DESCUBRIR VALORES A LOS NIÑOS

SUSANNE STÖCKLIN-MEIER

256 páginas
Formato: 15,2 x 23 cm
El niño y su mundo 58

BULLYING. EL ACOSO ESCOLAR

*El libro que todos los padres deben
conocer*

WILLIAM VOORS

176 páginas
Formato: 15,2 x 23 cm
El niño y su mundo 65